식물적 낙관

VEGETATIVE OPTIMISM

식물적 낙관

김금희 산문

문학동네

서문

식물 하는 마음

살면서 나는 종종 식물 기르기에 빠졌다가 다시 나와 그 취미를 접어두곤 했다. 돌아보면 내가 식물에 빠져든 시기는 마음이 힘들었던 때와 거의 비슷했다. 처음 식물 기르기에 의욕이 생겼던 건 오래전 직장생활을 할 때였다. 회사 화분들이 죽어가고 있어서 하나둘 발코니로 옮기고 물을 주다보니 어느덧 내 몫의 일이 되었다. 나는 근무를 하다가도 스트레스가 쌓인다 싶으면 나가서 화분들을 돌봤다. 어쩌면 화분에 물을 준다는 빌미로 딴짓을 한 것인지도 모르지만 그렇게 해서 내 마음을 한번 씻어내는 일은 회사생활의 중요한 루틴이었다.

회사 식물에도 따지자면 직급이 있었다. 어떤 식물은 상사 방에서 안온하게 자라고 어떤 식물은 회사 복도나 책장 옆에서 반은 마른 잎들을 단 채 견디다가 눈에 띄면 내 손에 들려 발코니로 나갔다. 하지만 나 역시 마음이 한결같은 사람은 아닌지라 곧잘 챙기는 일을 잊어버렸고, 그러면 식물들은 자기들에게 왔던 보살핌이야 가끔 있는 행운으로 여기고 다시 제 힘으로 버티기 시작했다.

나는 회사를 다분히 충동적으로 그만두었다. 더이상 소설가가 되고 싶은 간절한 꿈을 미뤄둘 수 없다는 생각에서였다. 그렇게 회사를 그만두고 나서는 가끔 화분들이 어떻게 되었을까 궁금했다. 산세비에리아니 청페페니 하는 흔하디흔했던 그 실내 식물들은 퇴사 무렵 느꼈던 열패감과 함께 마음의 짐이 되어 기억의 정원에 남아 있다.

이 글을 쓰기 전 발코니에 가서 물을 주었다. 지금 발코니의 상태를 말하자면 다소 곤란한데 한바탕 여름을 지나면서 크고 작은 문제들이 생겨났기 때문이다. 당장 오늘 아침만 해도 잠에서 깨어나 발코니로 가보니 선인장의 일종인 핑크 고스트가

'구겨져' 있었다. 가려져 잘 보이지 않던 뒤편에 무름병이 생겨난 걸 이틀 전쯤에야 알아챘고 혹시 회복될까 싶어 최근 구입한 식물등까지 비춰주었는데 단 하루 사이에 아예 무너져내린 것이다. 어쩔 수 없이 화분에서 꺼내 뿌리를 살폈다. 아직 상태가 최악은 아닌 것 같았다. 무른 부분을 잘라내니 십오 센티미터가량 되었던 핑크 고스트는 엄지손가락만큼만 남게 되었다.

하지만 뿌리가 있으니 희망은 있다. 핑크 고스트를 살릴 방법을 알아봐야겠다. 지난겨울 우리집에 처음 왔던 날의 아름다운 자태, 마치 물감이 은은히 번진 듯 분홍색과 푸른색과 베이지색이 혼합되어 있던 그 몸체가 생생한데 쉽게 포기할 수는 없다.

"이거 괜찮은 거야?"

지나가던 집사람이 힐끔 보며 말을 걸었다.

"그럼, 괜찮지. 봐, 뿌리가 아직 있지?"

나는 장담하면서 손으로 가리켰지만 그 순간조차 아닐지도, 하는 생각이 스쳐지나갔다. 안 되면 할 수 없다는 은근한 체념도. 식물들과 계절을 통과하면서 나는 무엇보다 그 은근한 체념을 배워가는 중이다.

작가로서 오랫동안 마음에 대해 써왔고 최근 수년 동안은 심리 상담사와 함께 마음이라는 것에 대해 이야기 나눠왔다. 그러면서 냉소란 '차가운 실망'이라는 상담사의 표현을 들었는데 인상적으로 기억에 남았다. 나라는 사람을 설명할 때 빼놓을 수 없는 불안한 정동들은 자라면서 반복되어온 실망의 결론들이겠구나 싶으면서 스스로를 '성큼' 이해하게 되었기 때문이다. 무언가에 거절당하는 순간마다 실망감으로 마음이 패어 지금과 같은 사람이 되었구나 이해하면서, 이제 적어도 내가 나 스스로를 그런 차가운 실망 속으로 몰아넣지는 않겠다는 쪽으로 결심은 뻗어나갔다.

물론 식물들 때문에 하는 실망은 좀 다르다. 누군가가 손을 거칠게 뿌리친 것이 아니라 너무 붐비는 거리에서 잠시 손을 놓친 것에 가까운 기분이다. 이 시기만 지나면 언제든 다시 손을 잡을 수 있으니까 다음을 기약한 후 때를 기다리면 될 것 같은. 그래서 그때의 체념은 마음 어딘가가 닫히고 마는 것이 아니라 잠깐 '느슨해지는' 것에 가깝다.

장마가 길어지면서 발코니의 식물들이 많이 상해갔다. 잎이 늘어지고 말라가고 썩는 것이 매일 눈에 보였다. 일부 다육식물들은 몸 전체가 까맣고 축축해져 말 그대로 '녹아버렸다'. 지난봄 오천원짜리 도기 접시와 함께 산 다육식물 중 하나도 그랬다. 어느 다육식물들을 접시에 심을지 망설이자 화원의 주인아주머니가 두 종류를 추천해준 다음 돈을 받지 않고 직접 심어주었다.

"시간이 지나면 다육이들이 넓게 퍼져서 이 접시를 다 채울 거예요!"

주인아주머니는 나의 가드닝을 축복해주었다. 하지만 여름이 지나며 그중 하나가 속까지 썩어서 사라진 지금 이제 그분과의 다정한 일별은 기억에만 남아 있다. 아니다, 아직 나머지 한 종류가 살아 있으니까 축복의 유효기간이 끝난 것은 아니겠지.

그날 화원에서 마음에 든 식물은 또 있었다. 말발도리였다. 작은 흰 꽃이 싱그러운 야생화초인 말발도리 분재가 화원 입구에 기품 있게 놓여 있었다. 가격을 물어보니 십만원이라서 사기는 망설여졌고 그러자 주인아주머니가 분재 말고 작은 화분에 심긴 말발도리도 있다고 추천했다. 결국 나는 그 말발도리 포트를 샀다.

"아니, 이 분재가 얼마나 근사한데 그걸 들입니까?"

말발도리 분재에 자부를 느끼던 주인아저씨는 묵은 뿌리며 튼튼한 몸체며 관리된 가지며 다 가지고 있는 분재를 추천하며 포트는 영 좋은 선택이 아니라고 일갈했다.

"이것도 예쁘고 얼마든지 괜찮아."

그런 남편을 툭 치며 주인아주머니는 내 선택을 지지해주었다. 그 말발도리도 여름이 되면서 상태가 좀 나빠졌지만 아직 분투중이라고 생각하기로 한다.

대학을 졸업하자마자 취직한 나는 두 번의 퇴사를 경험했다. 마지막날 짐을 쓸어 담아 차에 싣는 것으로 퇴사 의식을 마쳤고 두 번 다 눈물을 흘리며 귀갓길에 올랐다. 잘하고 싶었지만 마음처럼 되지는 않았던, 포기하고 싶지 않고 떠밀리고 싶지 않은데도 도저히 못하겠어서 손을 놓아야 했던 시간들. 그런 직장에서의 시간들을 회사 발코니에 조르륵 놓인 화분들이 되비추고 있었다. 이제 막 대리를 단 나는 화분들을 돌봐가며 고민을 정리해보려다가도 이런저런 이유들로 화분의 시든 잎들보다 먼저 낙담하곤 했다.

지금의 나라면 이십대의 나에게 상하지 않고 자라는 것은 없다고 말해줄 수 있을 듯하다. 더 덧붙이자면 상하지 않고 산다는 것은 아예 말이 되지 않는다고. 처음 화원에서 데려온 식물들조차 그 모습 그대로 커나가지 않으니까. 잎들은 자라고 싶은 대로 자라고, 꽃은 피었다가도 시들어버리고, 이번 여름처럼 환경이 좋지 않으면 썩거나 녹아버리기도 한다.

식물을 기를수록 알게 되는 것은, 성장이란 생명을 지닌 존재들이 각자 떠나는 제멋대로의 (때론 달갑지 않은) 모험이라는 사실이다. 진딧물의 습격을 받고도, 가지의 어느 한편이 꺾인 채로도 동시에 새잎은 나고 나뭇가지는 길어진다. 성장이라는 무람한 에너지는 늘 그렇게 어떤 상황에서도 끝까지 발산된다.

우리가 떠올리는 가드닝의 아름다움은 기실 상상에 가깝고 오히려 성장의 개념을 왜곡하는 측면이 있다. 생명을 가진 것들은 그렇게 누군가의 주재에 따라 움직이지 않는다. 가드닝 초기에, 관리된 발코니의 주인으로서 느꼈던 충일한 만족감은 식물을 기르면 기를수록 판판이 깨져나갔다.

그래도 나는 식물을 계속해서 기르고 식물 이야기를 쓸 것이다. 발코니에 나가 있을 때 내 안에서 은은하게 일렁이는 마음들의 정체가 궁금하니까. 식물들은 그저 그 자리에 서서 자기 생장을 도모할 뿐인데 발코니에서 나는 왜 자꾸 기억에 붙들려 회상에 열중하고 웃고 슬퍼하게 되는 걸까. 식물들에게는 마치 거울처럼 그 앞에 선 사람의 마음을 비춰내는 힘이 있는 걸까. 감정의 즉각적인 발생을 만들어내는 존재들에게는 없는 정갈하고 차가운, 그래서 마음속 심연으로 빠져들게 만드는 기적 같은 힘이 있는 걸까. 식물을 들여다보고 있다보면 어느새 나 자신에 몰입해 있는 이유가 궁금하다.

내일 핑크 고스트를 다시 심어볼 생각이다. 무름병에 장사 없다는 선배 가드너들의 체념어린 회한을 익히 들었지만 뿌리가 남았는데 어떻게 심지 않을 수 있을까. 계속되는 낙관을 움켜쥐고 싶어서 하는 일이 가드닝인 것 같다. 막막하고 마음이 무겁게 내려앉을 때면 가장 밑바닥부터 차근차근 생각하는 일이 도움이 된다. 뿌리가 있고 뿌리를 심는다. 지키고 싶은 여름이 있고 그 여름날들을 지킨다. 여기 묶인 글들은 그런 낙관의 날들에 대한 기록이다.

차례

2부 이별은 선선한 바람처럼

3부 겨울은 녹록하게

4부 그런 나무가 되었다

1부

여름 정원에서 만나면

내 방의
여름 군락지

식물들의 위치를 바꿨다. 유명 블로거이자 인스타그래머인 대릴 쳉이 쓴 실내 가드닝 책을 읽다가 충동적으로 벌인 일이었다. 한국에서는 '퇴근하고 식물집사'라는 제목으로 출간된 이 책에는 멋진 식물 사진도 많은데, 내가 방 정리를 결심한 건 그 때문은 아니었다. 특정 문장에 요샛말로 '치인' 것이었다.

저자는 식물들이 누군가의 방에서 자라나는 과정을 '천이 succession'로 설명한다. 천이는 같은 장소에서 시간의 흐름에 따라 진행되는 식물 군집의 변화를 가리키는 말이다. 어느 지역이 황무지인 상태로 버려진다 해도 시간이 지나면 분명 식물들이 자라난다. 이끼들이 등장했다가 작은 풀들이 돋고 나중에는 나무가 자라나다가 숲이 조성된다. 천이는 그렇게 자연 군락이 성숙되는 과정을 뜻하는데, 이 책은 바로 당신의 방에서도 그러한 흐름이 일어나고 있다고 설명한다.

그러고 보니 맞는 말이었다. 식물들은 시차를 두고 차례차례 등장해 먹고사는 데 필요한 인공적 생산품으로만 가득했던 내 방에 생명의 기운을 불어넣었으니까. 그간 이 점을 간과한 건 식물들을 내 눈에 띌 때 사온 관상용으로 인식했기 때문이었을 것이다. 내 선택에 따라 내 공간에 배치한 것이어서 그들 또한 군락을 이룬 셈이라는 생각은 못했다. 나와 식물 사이가 중요했을 뿐 그들 사이에 조성되는 상호 영향에 대해서는 무심했던 것이다.

그런 시선으로 보니 집 곳곳에 식물들이 자리잡은 모습이 예사롭지 않게 느껴졌다. 발코니 선반에는 일곱 개의 서로 다른 고사리들이 있는데, 처음부터 그 자리에 있었던 게 아니다. 반 이상은 실내의 다른 공간에서 자라다가 시들시들해지고 노랗게 타버리면서 옮겨간 것이었다. 물론 스스로 뻗어나가거나 번식한 게 아니라 식물 집사인 내 손을 통해 이동했지만 애초에 발코니 선반에 둔 더피고사리와 아디안툼이 잘 자라고 있지 않았다면 그렇게 모아놓을 생각도 하지 못했을 것이다.

그 자리의 가장 큰 특징은 철제 선반이라 호스로 물을 쏴 하고 시원하게 줄 수 있다는 점이다. 기르기 전에는 몰랐지만 고사리는 정말 물을 많이 먹는 식물이다. 고사리가 음지식물이 된 건 빛이 덜 필요해서가 아니라 수분을 덜 빼앗기기 위해서가 아닐까 싶을 만큼. 결국 우리집 고사리들은 긴 시간을 거쳐 자신들에게 최적의 공간을 찾아내고 집사인 나라는 환경을 이용해 군락을 이루는 데 성공한 것이었다.

식물들을 바라보는 새 시각을 얻은 기분이었다. 나를 통해 식물들이 집안에서 공생을 이루어내고 있다는 사실. 그 과정에서 나는 햇빛, 물, 바람 같은 환경조건일 뿐이었다. 햇빛, 물, 바람 모두 생명을 지닌 존재들이 절실히 사랑하는 것이므로 나는 어찌되었건 이 역시 식물을 기르면서 얻을 수 있는 경건한 기쁨이라고 생각했다.

그렇게 책을 읽어내려가던 나는 거실로 나가 소파 뒤에서 자라고 있던 식물들을 정리하기 시작했다. 사실 소파 뒤는 빛이 잘 들지 않아 식물을 기르기에는 좋지 않은 장소였다. 하지만 화분을 거실 창가에 다 내놓았다가는 너무 번잡해질 터라 일 년 반이나 거기에 두고 있었다. 소파보다 식물들의 키가 조금씩 크니까 괜찮으리라고 믿고 싶기도 했다. 식물등을 켜주고 물도 꾸준히 주면서 관리해왔지만 브룬펠시아 재스민이 올해 꽃을 거르면서 소파 뒤가 험지라는 신호를 똑똑히 보내왔다. 나는 마음먹은 김에 거실 창가로 재스민을 보내고 가드닝 초기에 들여 애정이 큰 벵갈고무나무도 내 방으로 데려왔다. 내 방 역시 창가에는 도저히 자리가 안 나서 책상 옆에 두고 식물등을 켰다.

서재에 있던 몬스테라 델리시오사도 가지치기를 '세게' 한 다음 내 방으로 데리고 왔다. 멕시코 밀림이 원산지인 몬스테라는 넝쿨식물로 생명력이 강해 한번 들이면 수십 년간 함께할 수도 있는 진정한 반려식물이다. 공기정화식물로도 유명하니 책먼지가 많은 서재야말로 몬스테라의 자리라고 변명해왔지만, 바꿔 말하면 몬스테라에게는 그만큼 감수해야 할 점이 많은 환경이라는 얘기였다. 그렇게 이어진 식물 이동은 목재로 된 4단 화분 진열대를 내 방 책상과 마주보는 창가로 옮기며 끝났다. 그동안은 화분 진열대가 창을 가리면 작업할 때 시선이 답답하다고 생각했지만 그건 이제 아무 문제가 아닌 듯 느껴졌다.

식물들을 재배치했더니 지금 내 방은 서른세 개의 화분이 복작복작하게 들어찬 공간이 되었다. 누가 보면 작업이 되겠어? 의심할 정도로 좀 어지러운 환경이지만 대릴 챙의 표현을 가져온다면 식물들이 집합을 이루면서 '성숙한 반려식물의 개성이 스며든 진짜 생활공간'이 되었다. 나의 움직임이 식물을 위해 뭔가를 해준다거나 인간인 내가 뭔가를 포기한다는 느낌으로 한 행동이 아니라서 좋았다. 작은 군락지에 내리는 비나 빛처럼 자연스럽게 한 행동이라는 점이. 그렇게 해서 이 방의 인간과 비인간 모두 긴 여름의 첫 자락으로 접어들고 있다. 단단히 준비했으니 분명 괜찮게 건너갈 수 있을 것이다.

식물적
낙관

발코니를 살펴보다가 일종의 '수선'이 필요하다고 결론 내렸다. 좁은 발코니, 충분하지 못한 습도와 광량 속에서도 식물들은 최선을 다해 한 잎 한 잎 자라고 있었으나 문제가 적잖아 보였다. 죄다 수형이 한쪽으로 기울어 균형을 잃은 게 가장 심각했다. 자구를 쑥쑥 내어 다른 가족에게 한 포트 선물하기도 한 나의 자랑 필레아 페페는 방패 같은 잎들을 무성하게 내었을 뿐 아니라 키도 성큼 키웠으나 해를 좇느라 몸체가 기울어져 있었다. 화분 진열대 다리에 겨우 기대 균형을 유지하는 상황이었다. 일 년간 두 배나 자라 저러다가는 천장에 닿겠구나 싶은 필로덴드론 플로리다 고스트는 죽죽 뻗은 가지 중 일부가 아래로 축 늘어져 있었다. 잎들이 삼십 센티미터 가깝게 크다보니 줄기가 무게를 버텨낼 수 없었던 것이다.

내 방에 놓인 식물들 상태는 말할 것도 없었다. 북향이라 해가 잘 들지 않는 방이었다. 식물들은 희박한 햇빛을 붙드느라 몸체가 창 쪽을 향해 부등호처럼 꺾여버렸다. 얼마나 단호하게 꺾였는지 해를 향한 갈구가 즉각적으로 느껴질 정도였다. 유묘 때부터 함께해온 필로덴드론 실버 메탈, 필로덴드론 라시나툼 등이 그런 상태였다. 잎 서너 장 달고 여릿여릿하게 우리집에 왔던 아이들이 그렇게 쑥쑥 자라 비뚤어진 모습은 자책감을 안겨주었다. 온전히 내 잘못으로 비뚤어진 듯한 기분이 들었다.

물론 나도 할말은 있다. 화분을 적당히 돌려가며 키워야 한다는 사실을 알았지만 막상 식물들이 자리잡으면 그렇게 홱 돌려놓기가 어려웠다. 빛 문제를 해결해주지도 못하면서 애써 방향을 잡은 잎들에게 또다시 적응이라는 고난을 안겨주고 싶지 않았던 것이다. 하지만 결과적으로는 나쁜 성장을 방치한 셈이었다.

최근 들어 집사람과 나는 생각을 한 번 하는 것과 여러 번 하는 것에 대해 대화하곤 했다. 책을 읽다가 아쉬움이 들면 뭐랄까, 생각을 한 번만 해본 글 같아, 라고 설명했고 그러면 서로 이해한다며 고개를 끄덕였다. 어느 날은 생각을 여러 번 하는 것이 과연 좋은 걸까? 하고 이야기했다. 생각을 하다가 하다가 또 하면 결국 처음 생각으로 돌아와버리지 않나 하면서. 그냥 슬쩍 돌려놓으면 되는 화분을 이 생각 저 생각을 열심히 하다가 그냥 아무것도 하지 못하고 비뚜름하게 자라도록 만든 것처럼. 역시 모든 일에는 '적당히'가 중요하다. 문제는 그렇게 뭔가를 적당히 하려고 하면 의구심이 들면서 무성의나 편의적인 타협이 아닌가 고민하게 된다는 것이다.

식물을 기르는 데는 키우는 사람의 성향이 작동한다. 성향이란 쉬이 그렇게 하고 되도록이면 그렇게 하려는 마음이라고 설명할 수 있을 것이다. 누군가는 철삿줄로 칭칭 감아서라도 곧게 형태를 잡고 누군가는 외목대에만 아름다움을 느껴 가위를 늘 대기시킨다. 분재는 그런 조형의 욕구를 극단으로 구현한 상태일 것이다.

하지만 식물 집사 중에는 나처럼 뭔가를 인위적으로 가하는 행위가 영 내키지 않는 사람도 있을 것이다. 모양이 안 멋지더라도 잎들이 무성하게 자라나기만 하면 일단 나는 흐뭇해지고 기분이 좋아진다. 가드닝에 있어서는 꽤 낙관주의자인 셈이다. 적어도 식물을 대할 때는 마음이 느슨해지고 어느 면에서는 무덤덤해진다. 정확히는 의심하지 않는 마음이 든다. 쓸 때나 읽을 때나 심지어 스스로 펼쳐나가고 있는 생각의 연쇄 속에서도 정말 그런가, 옳은가, 착시가 아닌가를 묻는데 식물들 앞에서는 그런 날카로운 반문을 할 필요가 없다. 거기에는 내가 알 수 없는 질서로 움직이는 완전한 세계가 있으니까. 나의 몫으로 남는 건 의혹이나 불신이 아니라 경탄과 그를 통한 일종의 발심發心이다.

이번주에는 부지런히 가드닝 용품을 사들였다. 가장 많이 산 것은 지지대다. 인터넷으로 손품을 팔아보니 식물들의 다양한 문제에 적용할 수 있는 여러 종류의 지지대가 있었다. 고리가 있는 것, 없는 것, 고리 모양이 원형인 것, 반원인 것, 난석이나 수태를 넣어 뿌리 활착을 도울 수 있는 것, 금동색으로 마치 정원의 아치처럼 아름다운 것, 넝쿨식물이 감고 올라가면 아주 멋질 횃대 모양인 것까지. 지지대를 활용해서 피사의 탑처럼 기운 필레아 페페를 일으켜세우고, 꺾일 듯 무거운 플로리다 고스트의 잎들을 들어올렸다. 우리집에서 가장 비싼 식물이지만 지지할 곳이 없어 바닥을 넝쿨째 기고 있던 필로덴드론 베멜하베루코숨과 멜라노크리숨의 하이브리드종도 일으켜세워주었다. 뭔가 일상이 바르고 가지런해지는 기분이었다.

하지만 그런 수선 끝에 사고를 내고 말았다. 물꽂이를 해서 몇 달간 수북한 뿌리를 낸 베고니아를 화분에 옮겨 심다가 부러뜨린 것이다. 생수병에 담겨 있다보니 줄기가 앞으로 휘었는데 그걸 펴서 지지대 가까이 붙이겠다며 힘을 불끈 준 순간, 톡 하며 베고니아가 부러졌다. 몰두하느라 얼굴을 가까이 가져다대고 있던 나는 그 튼튼한 줄기가 부러지며 공기 중으로 뿜은 오이 향처럼 청량한 비극의 냄새를 똑똑히 맡고 말았다.

가지런하고 적당한 마음. 상상해보면 잘 접은 손수건의 네 귀퉁이나 현관 앞에 정리해놓은 몇 켤레의 운동화들이 떠오르는 마음. 하지만 그 어디에도 통제나 강박의 긴장은 없는 마음. 과연 나는 앞으로 그런 마음의 균형을 얼마나 유지할 수 있을까. 예측은 할 수 없지만 이것만은 분명하다. 시간이 지나 지금을 떠올릴 때 지지대를 써서 멋지게 일으켜세운 식물들보다 아쉽게도 부러뜨리고 만 베고니아를 더 선명히 기억하리라는 것. 그때의 낭패감이 아니라, 자연스럽게 굽은 것을 펴겠다며 손가락에 힘을 주었다가 그것이 부러지는 순간 마음 전체를 평정하던 어떤 깨달음을 말이다.

우리는
마켓에 간다

집사람은 식물 집사는 아니지만 내가 식물에 취미를 붙이는 데 꽤 공을 세운 사람이다. 보통 화원은 도심보다는 외곽에 있기 마련이므로 그가 운전을 나눠서 해주면 적지 않은 도움이 된다. 그리고 또하나는 포장. 구입한 식물을 집까지 무사히 데려오려면 가지나 잎이 상하지 않도록 세심히 포장해야 하는데, 나보다 꼼꼼한 집사람은 그쪽으로 확실히 소질이 있다.

식물을 사러 가는 길은 보통의 물건을 구경하러 가는 것과는 확실히 느낌이 다르다. 데려오려는 것이 대체로 적지 않은 시간 가게에서 한자리를 차지했던 존재들이고, 파는 사람들 역시 그냥 진열만 해놓은 게 아니라 힘과 에너지를 들여 돌봐온 것이기 때문이다.

내가 좋아하는 식물 가게 중에는 지독한 '식물 덕후'인 분이 하시는 곳도 있다. 몇 번을 가도 딱 필요한 만큼만 대화가 이어지던 시크한 인상의 사장이었는데, 어느 날 내가 식물을 구입하면서 선물할 거라고 말을 흘리자 평소와 달리 열렬한 반응이 돌아왔다. 간단히 말해 '그런 식물을 선물 받으면 얼마나 좋을까!'였다. 그전에도 그곳에서 식물을 샀고 심지어 선물할 것보다 더 큰 식물을 들인 적도 있었는데 그날의 반응이 단연 뜨거웠다.

처음에는 자신이 정성을 쏟은 식물이 누군가에 대한 감사 선물로 나가는 데 의의를 두는 건가 싶었다. 하지만 듣다보니 그는 말 그대로 받는 사람이 부러운 거였다. 와, 선물, 와 좋겠다, 하다가 함께 있던 자신의 가족에게 내게도 식물 선물을 해주는 사람이 있으면 얼마나 좋겠어! 하고 투정했다.

"이렇게 식물이 많으면서 식물을 또 선물 받고 싶으세요?"

나는 어리둥절히 물었다. 그러자 사장의 가족은 "말도 마세요, 여기 매장에 있는 게 다가 아니에요"라며 고개를 절레절레 흔들었다. 사장은 완전히 다른 분야에서 일했던 사람인데 어느 날 식물에 빠졌고 지독한 식물 덕후로서의 삶을 살다가 가게까지 열었다고 했다.

그렇게 마켓에 식물을 놓고 팔아야 하는 '오너'가 된 뒤에도 여전히 그에게 식물은 생계 수단이라기보다는 애호의 대상이었다. 그래서 '선물'이라는 말을 듣자마자 그것을 받을 사람에게 감정이입했던 것이었다. 식물을 받아 안고 집으로 가져가 기르며 돋아나는 잎 한 장 한 장에 기뻐하는, 자신에게 익숙한 감격이 머릿속에 떠올랐던 모양이었다. 그리고 그 상상의 끝은 얼마나 좋을까! 였고. 그제야 나는 그가 매장의 식물 중 상당수를 하는 수 없이 내놓은 셈이라는 사실을 알게 되었다. 이윽고 포장까지 끝나서 이제는 가져가야 할 때, 그는 식물을 다시 한번 살펴보며 물 주기에 대해 알려주었다. 그 식물은 정말 특별하게도 물이 필요하면 구근에 확연한 주름들이 생겨난다고, 그리고 사실 화분도 이 식물에게 가장 잘 어울리는 것으로 고심하며 골랐다고.

"네, 선물 받을 사람이 구근식물에 대해 잘 알고 있는 분이

세요. 분명 잘 기를 테니 염려 마세요."

나는 그의 상심을 덜어주기 위해 그렇게 말했다. 충분히 잘 돌볼 만한 사람에게 가져간다고 알려주고 싶어서. 나 역시 '식물값'을 치르고 가져간다고 해서 거기서 끝나는 문제가 아님을 이해하고 있다는 제스처였다. 그는 그 말에 고개를 끄덕이고는 자신은 그래도 구 개월쯤 함께 지내봤으니 괜찮다며 아쉬움을 거뒀다. 그다음부터는 그 가게에 있는 식물들이 허투루 보이지 않았다. 모두 곁에 두고 싶지만 그럴 수 없어 하나하나 내놓았을 사장의 고심이 느껴졌기 때문이다. 그러니까 그의 가게는 마켓이라기보다는 식물을 돌보고 사랑하는 마음의 연장선이나 마찬가지였다.

집사람과 내가 식물을 사러 가장 멀리까지 가본 날에는 집에서 출발해 차로 두 시간 반을 이동했다. 각자 집에서 기르던 식물을 내놓는 플리 마켓이 열려서 거기까지 찾아간 것이었다. 세상 어딘가에 있는 식물 집사들을 직접 만날 수 있겠구나 기대하며 그날을 기다렸었다. 식물을 판매한다는 점에서는 여느 마켓과 다르지 않았지만 질문과 대답이 와글와글 오가는 활기찬 분위기였다. 여기서는 이게 뭐예요? 라는 질문이 부끄러움 없이 나왔다. 물건을 파는 사람이나 사는 사람이나 모두 '덕후'들이었으니까.

평소에 식물 집사라고는 나밖에 알지 못했던 집사람은 그날의 마켓을 두고두고 신기해했다. 무엇보다 행운권 추첨 장면이 놀라웠다고 했다. 경품 중에 고가의 커피 그라인더가 있는데도 반응이 아크릴로 만든 미니 온실만 못하고 파도 같은 박수가 쏟아져 고개를 돌려보니 자기가 보기에는 그저 예쁜 깻잎 정도로 보이는 식물을 품에 안은 당첨자를 향해 모두가 환호하고 있었다고 했다. 그들 중에는 진심을 담아 부러워하는 나도 포함되어 있었다.

"그리고 내가 오늘 또 놀란 게 있어."

주말이라 꽉 막힌 고속도로 위에서 그가 말했다.

"우리가 점심도 못 먹고 거기를 들어갔는데 네가 아랑곳하지 않고 식물들을 구경한 거. 원래 끼니를 절대 거르지 않잖아."

"그렇지, 그런 일은 거의 없지."

"그런데 어떻게 그럴 수 있었어? 나는 네가 진즉에 거기서 나와서 밥을 먹자고 할 줄 알았어."

그제야 네시가 다 되도록 허기를 느끼지 못했다는 걸 깨달았다. 식물들을 구경하고 얘기하고 즐기는 사람들 곁에 있느라. 그 말을 듣자 정말 내가 '마켓'을 다녀왔구나, 하는 생각이 들었다. 단순히 몇 포트의 화분을 사온 게 아니라 식물의 세계에 흠뻑 빠져들어 맘껏 누리고 왔구나 싶은. 그러니 언제고 나는 다시 마켓에 갈 것이다. 사람들을 만나고 무언가를 돌보고 아끼는 법을 나누고 돌아와 나 역시 그 마음으로 식물을 심을 것이다. 어쩌면 그 힘을 서로에게 가르쳐주기 위해 우리는 마켓에서 만나는지도 모르겠다.

제주행 일기

304낭독회에 참여하기 위해 제주에 다녀왔다. 어느덧 100회를 넘은 304낭독회는 작가들이 일꾼이 되어 꾸려가고 있는, 세월호 참사를 기억하고 진실이 밝혀지기를 바라는 사람들의 낭독회다. 2014년 9월 시작한 이래 지금까지 십 년 가까이 거르지 않고 계속해왔다. 한 달에 한 번, 다른 단체나 기관의 지원 없이 이 낭독회가 계속될 수 있는 건 자발적으로 모인 사람들이 꾸려나가는 덕분이다. 원하는 사람은 누구나 참여할 수 있고, 가지고 오는 글들도 직접 쓴 원고에서부터 좋아하는 책의 발췌문이나 노래 가사, 극본까지 경계가 없다.

낭독회 하루 전날 제주에 도착했다. 거의 삼 년 만이었다. 제주를 배경으로 한 장편 『복자에게』를 쓰고 몇 번 내려갈 기회가 있었지만 좀처럼 마음을 먹지 못했다. 팬데믹 상황 때문이기도 했고, 너무 중요하고 마음을 많이 준 대상과는 오히려 거리를 두게 되는 머뭇거림 때문이기도 했다. 비행기에서 내려 점심을 먹은 뒤 곧장 월령리로 향했다. 월령리 선인장 군락지를 돌아보는 게 이번 제주행에서 내가 계획한 유일한 여정이었다. 내비게이션 안내대로 일주도로를 달리다가 충동적으로 애월 쪽으로 빠졌다. 좀 느리게 가더라도 오래오래 바다를 보고 싶었다. 날이 더워 바다에는 사람들이 나와서 물놀이를 하고 있었다.

몇 해 전 제주 부속 섬에 있는 레지던스에서 머물 때 제주에는 선인장이 마치 도시의 잡풀처럼 흔하게 자라 있다는 걸 알았다. 제주의 식물들은 늘 내겐 이색적이지만 그렇게 어디서나 '자생'하고 있는 선인장들은 제주라는 섬과 특히 잘 어울렸다. 제주어로 선인장을 '떡꼿'이라 부르는 것도 근사했다. 제주어는 대상의 실체를 그대로 옮겨온 듯한 강렬한 실감을 특징으로 하고 '떡꼿'도 그랬다. 꼿꼿하게 강하게 적당한 타협

이나 물러섬 없이 자기 자신을 힘차게 유지하는 식물이 그려졌다.

우리집에도 당연히 선인장들이 있다. 아마도 내가 돌보는 식물 중 가장 무게가 많이 나갈 무륜주, 괴마옥과 백도선, 살을 발라낸 생선뼈 같은 모양이라 해서 이름이 붙은 피시본, 무럭무럭 자란 알로에, 개성 있게 성장하고 있는 유포르비아 티루칼리. 관엽식물처럼 물이 많이 필요하지 않고 볕이 잘 드는 곳에 두면 조용히 잘 자라는 편이라 부담 없이 기를 수 있는 식물들이다. 선인장의 가장 위험한 적은 바로 '관심'이다. 최대한 건조하게 두는 것이 선인장을 살리는 길이다. 물을 줘야 할지 말아야 할지 헷갈리면 차라리 주지 말라는 충고를 듣기도 했다. 과습으로 죽는 것보다 건조해서 죽는 시간이 더 오래 걸리니까. 나는 무륜주의 경우 계절이 바뀔 즈음 한 번씩 물을 주고 겨울에는 물을 말린다. 그렇게 최대한 자연 그 상태로 두는 것이 꼭 필요하다.

월령리에 도착해 포구 주차장에 차를 세우자 빠르게 돌아가는 풍력발전기들이 보였다. 수심이 얕은 방파제 안쪽 바닷물은 에메랄드색이었고 물결이 거의 일지 않았다. 사람들이 스노클링과 낚시를 즐기고 있었다. 열 살이 되었을까 싶은 아이들이 낚싯대를 잡고 있다가 "고기 물었어?" 하는 엄마의 질문에 "아니, 하나도 안 물어" 하고 볼멘소리로 대답했다. 수색이 너무 맑아서 그 아래 물고기들이 다 들여다보였다. 물고기들은 아이들이 내려보낸 미끼는 물지 않고 수초 사이에서 영리하게 먹이를 구하고 있었다.

올레길을 따라 걷기 시작하자 선인장 군락이 눈에 들어왔다. 줄기가 마치 손바닥처럼 넓적해서 손바닥선인장으로도 불리는 백년초들이었다. 밭담을 쌓아올린 넓은 땅에 이중 삼중으로 고랑을 만들며 자라고 있는 선인장들. 해안의 검은 바위를 부드럽게 타오르고, 인동덩굴이나 담쟁이 같은 식물들과 함께 담벼락을 꾸미며, 해안가의 갯국화와 어우러져 바다가 끝나고 육지가 시작되는 경계를 늠름하게 그려 보이는 선인장들. 그 일괄되지 않고 규칙 없는 아름다움, 예상할 수 없고 그래서 언제나 경이로운 '자생하는' 아름다움이 선인장 군락지에 있었다. 사실상 모든 예술이 가닿고 싶어하는 가장 자연스러운 생명력을 지닌 아름다움이.

선인장 길을 다 걷고 나니 햇볕에 탄 얼굴이 따가웠다. 더위를 피할 겸 선인장 주스를 파는 동네 카페에 들어갔다. 주문을 하는데 카운터에 달려 있는 노란 리본, 세월호를 기억하려는 사람들이 아직도 간직하고 있는 그 약속의 리본이 눈에 들어왔다. 헤아릴 수 없이 오래된 과거의 어느 날 구로시오해류를 타고 온 작은 선인장 씨앗이 지금의 월령리를 만든 것처럼 우리의 슬픔과 미안함, 비극을 반복하지 않겠다는 다짐들도 분명 어디선가 군락을 이루고 있으리라는 기대가 들었다. 기대하고 희망하고 믿는 데는 힘이 필요하다. 믿지 않는 것은 외면과 단절로 끝이 나지만 믿는다는 것은 미래를 향한 이후의 발걸음까지 포용하는 것이기 때문이다.

다음날 낭독회를 진행하는데 무대로 삼은 작은 의자 뒤로 내내 팽나무가 팔을 넓게 벌리고 있었다. 괜찮다는 듯, 서로 어깨를 겯고 통과하고 있는 우리를 묵묵히 감싸듯. 그곳이 제주였고 그것이 바로 제주의 식물들이었다.

다정한 괭이밥 씨

열여덟 해를 산 우리 개는 지금 노환으로 몸이 좋지 않다. 밤에도 잘 자지 못하고 불안해해 누군가 지키고 있어야 해서 가족들이 돌아가며 돌보게 되었다. 반려견이 집에 오는 날이면 발코니를 먼저 정리해둔다. 지금 발코니는 포화 상태로 여름을 나는 중인데, 혹시 개를 안고 나가야 할 일이 있을까봐 자리를 마련해두는 것이다.

흰가룻병으로 고생하다 기적적으로 살아난 유칼립투스도, 아끼던 동백 화분도, 여름의 시작을 함께했던 데이지와 라벤더도 아픈 가족 앞에서는 어쩔 수 없이 밀려난다. 그렇게 화분들을 한쪽으로 몰아 자리를 만드는 내 손길이 단호하고 거칠어서 순간 멈칫하기도 했다. 두렵고 급하고 불안하구나 싶었다.

여름은 생명들에게 성장의 계절이지만 동시에 고비가 잦은 계절이기도 하다. 지난해 여름에는 거의 대부분의 다육식물을 잃었다. 작고 저렴하며 종류도 무궁무진해서 부담 없이 키우는 식물인 줄 알았더니 현실은 만만치 않았다. 그 와중에도 녹귀란과 언성 그리고 청옥은 살아남았다. 다행히 녹귀란은 상태가 좋지만 나머지 둘은 아니나다를까 더위 속에 간신히 버티는 중이다.

여름에 식물이 아픈 건 해충 때문이기도 하다. 식물 집사들이 몸서리치게 싫어하는 해충 중 하나는 뿌리파리. 화분 곁에서 진을 치는 작은 날벌레로, 대량 번식하고 유충이 흙속에 숨어 자라기 때문에 박멸이 어렵다. 지난해엔 날벌레쯤이야 여름에는 어쩔 수 없는 것 아니겠어, 하는 안일한 생각으로 지내다가 발코니에 뿌리파리 사체가 수북이 쌓이는 낭패를 보기도 했다. 부랴부랴 끈끈이 트랩을 쓰고 약을 쳐봤지만 눈에 띄는 효과는 없었고 결국 겨울이 올 때까지 나는 인상을 쓰며 뿌리파리들을 쓸어내야 했다. 뿌리파리 유충들이 식물의 뿌리를 갉아먹어 결국 고사시킨다는 것도 내가 미처 알지 못한 사실이었다.

올해는 다행히 과산화수소수 희석액을 알게 되었다. 과산화수소수를 물에 소량 섞어 식물에 주면 뿌리파리가 사라진다는 팁을 블로그에서 읽은 것이다. 이미 화분들 사이를 뿌리파리가 윙윙 날아다니고 있는 터라 나는 바로 동네 약국으로 달려갔다. 과산화수소수를 달라고 하자 약사는 내게 어디에 쓸 거냐고 물었다. 일반적인 소독약이니까 달라고 하면 주겠지, 여겼던 나는 순간 머뭇거렸다. 화분에 쓰는 게 이 약품의 본래 용법은 아니니까 바로 대답하지 못한 것이었다.

"종류가 두 가지라서 여쭤본 것뿐이에요."

내가 당황해하자 약사는 뭔가 개인적인 이유가 있는가 싶었는지 더는 대답을 기다리지 않고 설명했다. 나중에 나는 그 쉬운 대답을 못한 건 기대가 깨어지는 것이 싫어서였구나 하고 생각했다. 혹시 약사에게 그런 데 쓰면 안 된다거나, 그건 터무니없는 사이비 과학이에요, 하는 말을 들을까봐. 무언가 해보기도 전에 실망하는 것, 나는 그것에 무척 취약한 사람이었다.

나중에 보니 이 방법에 회의적인 사람도 많았다. 뿌리파리 유충을 잡아다 과산화수소수 희석액에 넣고 직접 실험(?)을 해보니 잘 죽지 않더라는 실증적 경험담도 있었다. 그래도 열심히 희석액을 줬고 화분 개수가 많다보니 이백오십 밀리리터짜리 과산화수소수 한 통은 금세 동났다. 한 달은 해봐야지 싶어 아예 한 박스를 더 샀고 물을 줄 때마다 착실히 섞어서 사용중이다. 효과가 있다 없다 확언할 수는 없지만 적어도 지난해와는 비교가 안 될 정도로 뿌리파리가 줄었다고 느낀다. 발코니 환경이 바뀌어서인지 정말 과산화수소수가 효과를 발휘한 것인지는 확실하지 않지만, 아무것도 하지 않았을 때보다는 지금이 훨씬 마음이 낫다. 애는 써봤으니까.

지금 발코니에서는 다정큼나무라고 하는 살가운 이름의 관목이 여름을 나고 있다. 다정큼나무는 가지 끝에 꽃과 열매가 오밀조밀하게 모여 달려서 붙은 이름이라고들 한다. 이름이 다정해 데리고 왔지만 사실 나무는 잘 크지 못했다. 햇볕이 가장 잘 드는 좋은 자리에 놓았는데도 늘 시들시들했다.

그런데 올해 들어 나무가 새잎을 내고 꽃봉오리도 맺기 시작했다. 꽃이 화려하게 피지는 않았지만 반가운 변화였다. 그 비결이 뭘까 살펴보다 다정큼나무 발치에 수북이 자란 괭이밥을 발견했다. 클로버와 비슷하게 생겼지만 잎이 좀더 하트 모양에 가까운 풀로, 아픈 고양이가 뜯어먹으면 병이 낫는다고 하여 괭이밥이라고 불린다. 해독 작용이 뛰어나 감기, 불면증, 각종 중독과 백혈병에도 효험이 있다고 한다.

그 괭이밥은 어디선가 풀씨가 날아와 저절로 자란 것이다. 그런 좋은 식물이 어려움을 겪고 있던 다정큼나무의 발치에 자리잡았다는 사실은 이 여름 가장 다정한 위로다. 어쩜 그 이름도 '괭이'밥이라는 것이. 어느 다정한 괭이밥이 앓는 나무에도 힘을 주고 이 여름을 앓으며 통과하고 있는 우리 개에게도 기운을 북돋아주었으면. 어쩌면 그러기 위해 저렇게 열심히 자라고 있는 게 아닌가. 물론 나의 이런 논리에 근거는 없다. 하지만 때론 그렇게 믿는 마음이 난관을 이기는 작은 발판이 되지 않을까. 어느 해보다 뜨거운 여름, 발코니를 비롯한 곳곳에서 여름을 앓고 있는 모두가 이 시간을 잘 통과했으면 좋겠다.

헤세와 울프의
여름 정원

헤르만 헤세는 내가 처음 알게 된 정원사 겸 작가다. 오래전 헤세가 쓴 정원에 관한 책을 읽은 적이 있다. 지금은 '정원에서 보내는 시간'이라는 제목으로 개정판이 나와 있지만 내가 읽은 책은 헤세의 얼굴 사진이 표지 전체에 쓰여 있었다. 마르고 주름지고, 흑백으로 표현되어 있어 불명확하지만 아마도 검게 탔을 노인의 얼굴이었다.

밀짚모자를 쓴 헤세는 해바라기를 마주보며 웃고 있었다. 평소 헤세의 얼굴을 굳이 상상하지는 않았지만 그 당시 나는 적어도 뭔가 '적당하지 않다'고 생각했다. 헤세라고 하면 우리 마음속에 떠오르는 어느 맥락들, 청춘의 고뇌 혹은 철학과 종교에 대한 심미적 탐구와는 거리가 있는 듯 느껴졌던 것이다. 하지만 그건 오래전 내가 가졌던 편견에 불과했고, 이제 식물을 기르며 그것에 관한 소박한 글을 쓰게 된 나로서는, 물론 포도 농사로 생계를 꾸리기까지 했던 헤세에 비할 것도 아니지만, 그 얼굴이야말로 식물을 가까이하는 자가 짓는 가장 충만한 표정이라는 사실을 안다.

친구를 만나러 가는 길에 그 책을 떠올렸다. 경의중앙선을 타고 가는 그 길은 마음이 편하지 않았다. 원고 마감을 비롯한 여러 근심 때문이었다. 하지만 바깥 풍경으로 여름 나무들을 마음껏 볼 수 있다는 사실만으로도 마음은 좀 나아졌다. 행신역에 내려 친구를 기다리던 나는 그곳에 KTX가 선다는 사실을 알고는 이대로 기차를 타고 어디론가 가고 싶다는 생각을 했다. 하지만 어려울 것이었다. 해야 할 마감들이 있고 예정된 일정이 있으니까.

"너 지금 표정이 완전히 울 것 같아."

오랜만에 만난 친구는 내게 그렇게 일러주었다. 카페에 마주앉아 걱정되는 일들을 하나둘씩 말해보았지만 뭔가 지금의 내 기분을 알리기에는 충분하지 않은 듯했고 이내 나는 너무 고독해, 라고 말했다. 하지만 그 고독의 감각을, 그리고 그것이 왜 유독 이 여름에 문제가 되고 있는지까지는 설명하기가 힘들었다.

"코로나 때문에 더 그럴 거야."

"그래, 다들 그렇겠지."

친구가 화제를 돌리려는지 기르는 식물들 사진을 보여달라고 했다. 얼마나 자랐니, 집에는 어떻게 두고 있니. 하지만 휴대전화를 꺼내 사진 보관함을 열었을 때 그 안에는 식물이나 풍경, 인물이 아니라 필요한 정보를 인터넷에서 찾아 캡처해둔 스크린숏만이 가득했다. 모처럼 만난 친구 앞에서 영 밝은 표정을 짓지 못하다 집으로 돌아오는데 마음 안에 아주 차디찬 것들이 들어와 있는 듯한 기분이 들었다. 걸을 때마다 계단을 오를 때마다 묵직하게 나를 누르는 이 아주 차가운 것.

식물에 관한 헤세의 산문을 읽다보면 그의 실제 모습들을 알게 된다. 더 정확히는 헤세가 설명하는 자기 자신의 모습들을. 헤세는 물건에 대한 애착이 강한 편으로, 정원 일에 쓰는 주머니칼을 잃어버리자 크게 상심해 글 한 편을 쓰기도 했다. 그는 불면증으로 고생하는 가엾은 영혼들에게 위로를 전할 줄 아는 사람이었고, 살면서 그런 밤을 보내지 않은 사람을 "사랑하기는 어려울 것 같다"고 고백하는 사람이었다. 그는 어려서 폴리라는 앵무새를 기른 '앵무새 집사'였고 그래서 앵무새의 언어를 알아들을 줄 알았다. 그리고 그는 세계대전 이후 십 년 동안 일상적인 교제 없이 사물과 정원의 식물들하고만 교류하며 살았던 사람이었다.

「오래된 나무의 죽음을 슬퍼하며」라는 산문에는 그런 그의 친구들에 대한 소개가 길게 등장한다. 산책 지팡이, 찻잔, 꽃병, 청동 조각상처럼 "말없이 나를 순종하고" "하나라도 나를 떠나거나" 하면 상실을 견딜 수 없을 것 같은 가까운 존재들. 그리고 집밖에는 종려나무와 동백나무, 수양버들과 여름 목련 같은, 헤세가 "진정한 내 친구들이고 내 이웃"이라 부르는 존재들이 있었다. 이런 이야기를 전하는 헤세의 목소리에는 쓸쓸한 관조와 열렬한 찬미가 동시에 담겨 있다. 어려서는 방황 끝에 자살 시도를 반복하고 전쟁 후에는 극심한 정신적 고통 속에 칩거를 선택한 헤세에게는 고독이야말로 가장 열렬한 생의 의지가 되었던 것일까.

비슷한 시기 정원 속에서 환희를 발견했던 또다른 작가는 버지니아 울프다. 울프는 1919년 몽크스 하우스라는 교외 농가로 이사가면서 이곳이야말로 "런던 모두를 합친 것보다" 좋다고 고백했다. 붉은색과 크림색 수련으로 가득한 연못, 첫서리가 내릴 때까지 무더기로 피어 있는 코스모스, 벌들의 윙윙거림, 낮은 노랫소리, 향기, 식물들이 뿜어내는 그 모든 것에서 표현할 수 없는 황홀감을 느끼는 울프의 모습이 『버지니아 울프의 정원』이라는 책에 잘 나타나 있다. 울프는 그 정원 생활에 대해 일기나 작품, 그리고 친구들에게 보내는 편지마다 남겨두었다. 자신은 매일 아침 그 황홀한 정원을 건너가 어제 쓰다가 만 문장을 향해 부드럽게 나아간다고. 그 무렵 울프는 다가오는 또다른 전쟁의 서막 앞에서 한없이 황폐해지고 있었다. 그런 그가 정신적으로 의지했던 것이 바로 정원의 식물들이었다.

최근에 작가로 살아가면서 무엇이 가장 힘든가 하는 질문을 받았을 때, 고독이 요구되는 점 같다고 말한 적이 있다. 쓰는 행위란 나를 포함한 세상의 모든 것을 비평하고 객관화하

는 것이니까. 그 서늘한 거리감은 상시적이고, 고립감과 닮아 있기도 하다. 어쩌면 작가뿐 아니라 모든 내면 지향의 인간들이 느낄 고독감 앞에서 어떻게 정원의 풍경들, 식물들은 내밀한 친구로 남아 있을 수가 있을까? 헤세는 인간에게는 죽음이 때로 보잘것없는 위안이 될 수 있으나 나무들은 "죽어가는 사람을 바라보면서 그 죽음을 부러워한 적이 단 한 번도 없었을 것"이라고 말한다. 나무들에게는 "해마다 수백만 송이가 넘는 화려하고 찬란히 빛나는 꽃을 풍성하게" 피우는 삶의 근원적인 방향이 있고, 그것은 인간이 저지르는 크고 작은 일탈과 갈등과 번민을 무화시키는 자연의 강력한 힘이라는 말로 나는 이해했다. 그러자 그 고독한 가드너이자 대문호인 이로부터 큰 지지를 받는 기분이었다.

여름을 맞은 지금, 우리집에서 가장 활력 있게 자라고 있는 식물은 필로덴드론 플로리다 고스트다. 마치 유령처럼 노란 변이 잎이 나타난다고 해서 붙은 이름이다. 유령 잎은 다 자라고 나면 다시 푸르게 변한다. 화원에서 그 식물을 고를 때 나는 잎이 얼마나 멋지게 나 있는가보다는 뿌리가 튼튼한가를 자세히 보았다. 얼마 못 가 죽으면 안 되니까. 그래서 정작 잎은 좀 밉게 나 있는 포트를 골랐는데 계산할 때 화원 사장이 "괜찮겠어요?" 하고 다시 확인했다. 나는 괜찮다고 하며 "무엇보다 튼튼했으면 좋겠어요"라고 답했다.

그후로 우리의 고스트는 쑥쑥 자라 지금은 여섯 개가 넘는 줄기와 넓은 잎을 냈다. 그런데 새잎들이 그렇게 건강히 자라자 첫 잎은 점점 상해갔다. 나는 그 귀한 잎 하나를 잃는 걸 안타까워하다가 더이상 안 되겠다 싶을 때 줄기가 아니라 잎을 조심히 잘라내었다. 혹시라도 줄기에 잎이 또 날지도 모른다는 기대 때문이었다. 하지만 며칠 뒤 내 바람과 무관하게 식물은 스스로 그 굵은 줄기를 뚝 떨어뜨려버렸다. 나는 그제야 그것이 식물의 선택이라는 사실을 받아들였다.

헤세는 자신이 유감스럽게도 쉽고 편안하게 사는 법을 알지 못했지만 한 가지만은 늘 자기 마음대로 할 수 있었고 그것은 바로 "아름답게 사는 것"이었다고 말한다. 그리고 "가장 무상한 것이야말로 가장 아름다운 것"이라고 충고한다. 그러니 어쩌면 이 여름에 필요한 건 고독을 지우기 위한 노력보다 헤세가 「여름 편지」라는 산문에 남긴 이런 제안들의 실천일지도 모르겠다. 열흘 동안 화병에 꽂힌 채 시들어가는 백일홍 관찰하기. 그 잎의 뒷면도 세세히 들여다보기. 밝은 잿빛으로 변하는 장미의 모습을 생생하게 감동적으로 응시하기. 그렇게 해서 삶의 무상함을 슬퍼하면서도 한편으로는 그리하여 삶을 소중하게 받아들이기.

고독과 여름과 정원과 관찰. 이제 무르익고 있는 계절에 이 말들을 자주 떠올릴 것 같다.

잘 자라는 일

요즘 멜라노크리숨이라는 식물과 신경전을 벌이고 있다. 원래는 줄기가 위로 자라면서 옆으로 잎 마디와 잎자루가 생기고 거기서 잎이 제대로 펼쳐져야 한다. 하지만 지난해 우리집에 온 멜라노크리숨은 잎 세 장을 지녔던 소박한 시절보다 성장하기는 했지만 기껏 낸 새순을 제대로 펼치지도 않고 줄기만 가늘게 내어 웃자라고 있다. 그래도 자라고 있기는 하니까 그러면 되지 않나 싶어 놔두었는데 어느새 지지대를 넘어설 정도가 되었다. 줄기만 뻗었을 뿐 기껏 난 새잎은 마치 작은따옴표처럼 줄기에 겨우 붙어 있는 꼴이었다.

그 모습을 지켜보다 어느 날 이건 아니지, 라고 생각했다. 이렇게 자라는 건 자라는 게 아니야, 라고. 때마침 "가만히 놔두면 식물의 직진성은 멈추지 않습니다!"라는 경고를 어딘가에서 접한 참이었다. 나는 줄기를 뻗어 위로만 올라가려는 멜라노크리숨의 생장점을 큰맘 먹고 잘랐다. 생장점은 간단히 말하면 잎이 나는 부분을 말하고 보통 가지치기는 생장점의 조금 윗부분을 자르면서 한다. 그러면 식물은 그 방향으로 자라는 것을 멈추고 기존의 잎들을 풍성히 키우거나 분화하는 데 열중한다.

생장점이 잘린 멜라노크리숨은 며칠간은 변화가 없었다. 앞으로 어디를 키워야 할지, 어디로 뻗어나가야 할지 모색해보는 듯했다. 지난 몇 년간의 내 모습과도 같다는 생각이 들었다. 얼마 전 오디오북 녹음 때문에 산문집 『사랑 밖의 모든 말들』을 찬찬히 읽게 됐는데 "몇 년간 세상은 점점 나빠졌지만 역설적으로 좋은 사람들이 많아졌다"라는 문장에 눈길이 갔다. 오륙 년 전 쓴 그 문장은 어쩐지 내 것 같지가 않았다. 세상이 더 나아졌는가 하는 부분에서 멈춰졌고 내 곁에 여전히 많은 사람들이 남아 있는지 자신이 없었다.

팬데믹까지 겹치면서 어느 때보다 잃어버린 관계들이 많다고 느낀다. 원래 관계란 맺어졌다가 다시 끊어졌다가 하는 것이지만 가까웠던 사람들과 멀어지는 건 세상을 향해 뻗고 있던 가지 하나하나가 잘리는 듯한 아픔이기도 했다. 하나가 잘릴 때마다 세상에 대해 가지고 있었던 호의, 기대, 희망, 신뢰를 재조정해야 했으니까. 가지치기 후의 멜라노크리슘처럼 멈춰 서서, 이제 어떻게 할지 막막하게 물어야 하는 시간이 길어졌다. 물론 나만 유독 그랬다고 생각하지는 않는다. 작가 생활을 하며 점점 더 고립감을 느껴가던 한 동료는 선배에게 이렇게 물었다고 했다.

"왜 자꾸 주변 사람들을 한둘씩 잃어갈까요?"

대답은 이랬다.

"글쎄요, 그게 한둘이면 다행이지요."

우리는 그 얘기를 하며 웃었지만 그렇다고 착잡한 마음이 사라진 건 아니었다. 어떻게 보면 인간관계의 단절은 나이가 드는 과정에서 누구나 맞닥뜨리는 일일 것이다. 늘 유지되리라 믿었던, 식물로 치자면 하던 대로 줄기를 위로 뻗으면 되리라 여겼던 그 무심한 안정을 끊고 들어오는 관계의 파국. 다들 그런 고비를 어떻게든 넘으며 나이들고 있는 것일까. 어쩌면 그렇게 해서 무뎌지고 있는 것일까.

며칠 지나 멜라노크리숨은 다른 생장점들에 새순을 내기 시작했다. 아기 손톱만한 새순에 싱그러운 연둣빛이 돌자 내 마음은 불이 탁 켜진 듯 환하게 밝아졌다. 대화가 통한 기분이었다. 가위질과 물 주기 그리고 햇볕 쬐어주기로 구성된 이 대화의 결과가 다른 방향으로의 성장이라는 점이 반가웠다. 속은 텅 빈 채 외피만 늘리는 건 결국 스스로를 위하는 일이 아니라는 내 진심을 식물이 받아들인 것 같았다. 그렇다면 이제 식물을 통해 확인하게 된 그 진실을 내 삶에 적용시키면 될 일이었다.

여름이 끝나가는 요즘, 내 방 식물들은 어느 때보다 상태가 좋다. 햇볕이 잘 들지 않아 고난을 예고하는 변방의 식물 수용소처럼 느껴졌던 방이었는데 어느덧 식물들은 적응을 해나갔다. 그사이 베고니아는 몸집을 두 배나 늘려 더 큰 슬릿분으로 분갈이를 해주었다. 인간인 나는 파악할 수 없는 이 공간의 특질과 에너지를 찾아내 열심히 적응하고 성장한 식물들. 여름을 통과하는 동안 내 가까이서 그 일을 해낸 식물들 덕분에 나도 용기를 얻었다.

더이상 줄기를 뻗지 않고 변화를 완수하는 듯했던 멜라노크리숨은 그러나 다시 위로 위로 전진하기 시작했다. 가장 윗부분의 생장점에 잎을 틔우더니 그 잎이 자라기도 전 곁가지를 내 다시 위로 줄기를 키워나간 것이다. 앞으로 직진하지 말라고 하니까 우회해서 직진하다니. 나는 우리가 나눠야 할 대화가 아직 남아 있구나 생각하며 또 가위를 댔다. 멜라노크리숨은 그렇게 다시 '얼음' 상태가 된 채 어디에 힘을 쓸지 모색중이다. 새순들을 모두 풍성한 잎으로 키우면 좋겠지만 여전히 웃자라더라도 뭐 그리 큰일은 아닐 것이다. 다시 하면 되니까. 생각해보니 그렇게 여러 번 자르는 일은 여러 번 마음을 고쳐먹는 일과 같았다. 그러니 어렵고, 그러니 우리에게는 새로 만날 잎들에 대한 기대가 여전히 있는 것이다.

휴가와
발코니

오랜만에 해외로 나갈 준비를 하는데 마음이 무겁다. 호기롭게 비행기표를 샀던 5월과는 다른 팬데믹 상황도 그렇고 연재할 원고를 마감 못하고 떠나는 것도 부담이다. 하지만 언제는 여행을 마음 편하게 떠났었나. 늘 일들이 말끔히 정리되지 않은 채로, 여행 동선도 제대로 못 짠 채로 출국 날짜에 등 떠밀리듯 떠나왔고 이번 여행도 예외는 아닌 것 같다. 더구나 식물들을 두고 가야 하는 게 걱정이다. 험한 날씨에도 싱싱하고 건강하게 여름을 나주고 있는 식물들을 보고 있자면 집을 비웠다 돌아온 내가 맞닥뜨리게 될 비극이 상상되어 벌써

부터 괴로워진다.

나 같은 사람들을 위한 식물 호텔이 있다고 해서 SNS를 팔로우하고 살펴보았다. 전문 가드너의 관리를 받을 수 있는 좋은 서비스였지만 무슨 식물을 맡길지 고민하다가 시간을 다 보냈다. 보름 가까운 여행 기간쯤은 혼자 지내도 가뜬할 선인장이나 몬스테라 등을 빼고는 거의 대부분의 식물들이 그 특별한 케어를 원하고 있었다. 온실에서 꺼낸 뒤로 잎이 말라가고 있는 베멜하, 이미 몇 개의 개체를 말려 죽인 터라 이번에도 보내면 죄책감 때문에라도 다시는 들일 수 없을 것 같은 유칼립투스, 창가로 옮겨주었더니 마치 축포처럼 새잎을 터뜨리고 있는 피쿠스 움벨라타, 강연 갔던 도서관에서 선물로 받아온 온시듐. 서양란의 일종인 온시듐은 뿌리가 썩지 않게 주의해야 하기 때문에 마사에 심어져 있었다. 물을 많이 줘도 머금지 않고 거의 밖으로 흘려보내니까 미리 충분히 주고 간다는 개념은 가능하지 않았다.

이렇듯 호텔에 투숙해야 할 사연은 식물마다 구구절절했지만 내가 최종 후보로 꼽은 식물은 유칼립투스 멜리오도라였다. 서촌의 식물 가게에서 튼튼한 개체를 사왔지만 썩 잘 자라지도 다행히 죽지도 않은 채 이 년을 버티다 몇 달 전에야 새 줄기를 뻗으며 쭉쭉 키를 키운 상황이었다. 물이 많거나 적으면 잎 상태로 금세 불만을 표현하는 이 예민한 식물이 과연 내가 여행을 다녀올 때까지 버텨줄까. 안 되면 정말 애라도 호텔에 맡겨야겠다고 결심할 즈음, 구원투수가 등장했다. 늘 그렇듯 엄마였다.

“얘는 무슨 식물을 호텔에 맡겨? 내가 들여다볼 테니까 쓸데없이 돈 쓰지 마.”

“엄마가 이 더위에 어떻게 우리집을 오가, 힘든데.”

나는 사양하는 척하면서도 결국 기댈 곳은 엄마밖에 없다는 생각을 이미 하고 있었다. 다만 전철로 한 시간이 걸리는 거리를 일흔이 넘은 엄마더러 오가달라고 할 수가 없었을 뿐. 엄마는 전보다 더 느리게 걸었고 웬만하면 걷고 싶어하지 않았다. 여전히 가게 물건을 빈틈없이 정리하고 손님들 ‘니즈’에 맞게 신상품을 들여오는 열의를 보였지만, 동네에 재개발 얘기가 돌자 개발이 얼른 돼서 가게를 정리했으면 좋겠다는 속내를 내비쳤다. 이제 나이가 들어 힘들다고. 그런 엄마를 이사온 지 얼마 안 돼 나조차도 낯선 동네로 불러내다니, 정작 나는 없고 식물들만 기다리는 텅 빈 집으로. 미안한 일이었다.

하지만 엄마는 자기가 해줄 테니 걱정 말라고 했고 며칠 전 예행연습을 위해 우리집을 다녀갔다. 엄마가 온다고 하면 나는 늘 역 출구로 마중을 나갔는데 엄마는 그날만은 그러지 말라고 일렀다. 하지만 그 당부를 잊고 내가 습관처럼 마중을 나가는 바람에, 자기 기억으로 차근차근 우리집을 찾아오던 엄마는 원하는 방식의 예행연습을 이어나갈 수가 없었다. 엄마는 자기 혼자 찾아가볼 테니 나더러는 아무 말 하지 말라며 앞장서서 아파트로 향했다. 나는 그럴 것 없이 동영상으로 남겨놨다가 길이 헷갈릴 때 보면 된다고 하고 엄마의 뒷모습을 휴대전화로 찍기 시작했다. 며칠간 비가 호되게 내려 몸도 마음도 가라앉아 있던 날이었다.

그날 엄마는 국수에 넣을 고명까지 다 챙겨와 잔치국수를 만들어주었다. 나는 음식들의 이름을 남몰래 좋아하고 음미할 때가 있는데 '잔치국수'라는 단어도 그중 하나였다. 검박하고 정겹고 활기차고 가볍고 순수한 공동체가 생각나는 말. 엄마와 나는 애호박을 많이 넣은 칼칼한 국수를 나눠 먹으면서 정말 맛있다, 서로 맞장구쳤고, 식사를 마친 뒤에는 발코니와 각

방에 놓인 식물들을 함께 살펴보았다.

"다 물 한 번씩 주면 되는 거지?"

나는 그렇다고, 뭐 그렇게 까다로운 일이 아니라고 대답했다. 엄마에게 부탁하는 처지에 손가락을 넣어 흙의 상태를 알아보라든가, 화분을 들어 무게를 헤아리면 물이 필요한지 알 수 있다든가 하며 토를 달 수는 없었다. 수도꼭지를 틀어 호스로 고사리들에게 물을 주면서 나는 전혀 어렵지 않다고, 그냥 편하게 하면 된다고 강조했다. 엄마는 발코니를 살펴보더니 죽은 식물이 심긴 화분을 가리키며 "이런 것들부터 싹 다 정리해야겠네" 하고 내게 가장 필요한 일을 콕 짚어냈다.

나이가 들고 독립해 나온 지 꽤 됐는데도 엄마와 만났다 헤어지는 건 여전히 마음이 스산해지는 일이다. 아무리 사회생활을 해도, 어디 가서 무슨 행세를 하는 사람이 돼도 그치지 않을 분리에 대한 거부감, 혹은 미약한 슬픔 같은 것.

그날 밤 나는 휴대전화에 남은 낮의 동영상들을 재생해보았다. 엄마는 아파트 뒷문을 통과해 벚나무와 이팝나무가 늘어선 길을 종종걸음으로 걸어가고 있었다. 칠순 기념으로 친구들과 함께 쇼핑을 가서 샀다는 새 원피스를 입고. 늘 그렇듯 좀 급한 걸음으로 비 갠 뒤의 보도블록을 걸어간 엄마는 정확하게 우리집을 찾았고 "여기가 맞지? 이제 그만 찍어" 하면서 의기양양하게 나를 돌아보았다.

나는 그 모습을 여러 번 재생해 보면서 언제가 됐든, 어디에서든, 이 순간을 참 많이 그리워하리라는 생각을 했다. 어쩌면 그런 마음을 미리 느껴보느라고 이 식물들을 다 두고 내가 잠시 떠나가 있게 됐는지도 모를 일이다.

2부

이별은 선선한 바람처럼

삶이라는
덩어리

나는 식물을 인터넷보다는 현장에 가서 사는 것을 선호하는 편이다. 우연히 만나게 되는 사람과 식물이 좋고 그건 책을 살 때도 마찬가지다. 글을 쓰는 사람에게 타인과의 만남은 식물로 치자면 빗물 보약 같은 일, 중요한 자양분이자 물방울들의 두드림 같은 기분좋은 자극이기도 하다.

원래 작가는 혼자 있는 시간이 길고 대체로 집에서 작업하니 팬데믹의 영향이 좀 덜하지 않냐는 말을 자주 들었다. 슬프게도 그렇지 않다. 세상이 위축되면 우리의 펜도 활기를 잃는다. 글이란 절대적인 시간이 주어진다고 기계적으로 쓰이는 것이 아니라 세상의 공기를 들이마시며 식물처럼 뻗어나가는 것이기 때문이다.

대유행의 조짐이 있던 지난달 내내 집에 머물렀다. 그리고 최근에야 조심스럽게 외출을 재개했는데, 가장 먼저 간 곳은 대중교통을 여러 번 갈아타고 가야 하는 한 식물 가게였다. 문래역에서 마을버스를 타고 들어가야 했고 어느 정오 그렇게 정류장에 서 있다가 조해진 작가의 단편소설 「문래」를 떠올렸다. 2호선을 타고 지나만 다니던 그곳이 각별한 의미를 가지게 된 건 그 소설 때문이었다. 작가의 자전적 경험이 들어간 그 아름다운 단편을 읽고 난 뒤 문래는 언제나 글쓰기文가 오는來 동네로 기억되었으니까.

어둑한 지하철 터널을 지나다 문래, 문래, 라는 안내 방송이 나오면 마음이 설핏 아려오곤 했다. 아픈 유년에서 걸어나온 한 사람이 과거 살던 동네를 돌아보며 그럼에도 그곳이 글쓰기가 소설이 문학이 온 곳이라고 명명하는 순간의 벅참 같은 것. 상처를 이겨온 사람이 지니는 선명한 긍지 속에 얼룩덜룩하게 번져 있을 슬픔이 마음을 먹먹하게 했다. 그날도 가을은 완연했고 자전거는 지나갔고 공원에서는 이따금 사람들이 뛰었다. 문래의 삶이 계속되고 있었다.

식물 가게는 평범했다. 도롯가를 면해 있었고 그냥 지나가다 보았다면 희귀식물을 취급하는 매장이라고 생각 못했을 만큼 작았다. 언제나 식물 가게에 다다르면 일단 보도로 나와 있는 식물들을 살펴본다. 아끼는 아이스크림 포장을 풀듯 최대한 천천히 조금씩.

요즘 인기가 많은 괴근식물들이 볕을 쬐고 있었고 소코라코와 아카시아도 보였다. 그리고 유리문 너머로 보이는 매장 안에는 필로덴드론, 앤슈리엄 같은 관엽식물들이 멋진 잎을 자랑하며 놓여 있었다. 내가 여기까지 온 이유가 바로 식물들의 그런 잎 색 때문이었다. 식물을 기르다보면 식물의 어느 부분에 특히 반하는지를 깨닫는 때가 오는데, 내 경우에는 잎 색이었다. 녹색이 헤아릴 수 없이 다채롭다는 사실을 식물을 기르며 실감한다. 때로 그 색으로 표현 못할 감정은 없다는 생각도 든다.

예를 들어 나는 일 미터가 넘는 벵갈고무나무와 작은 토분에 심긴 멜라니고무나무를 기르는데, 벵갈고무나무의 잎은 형광빛이 날 정도의 상쾌한 연두색으로 명랑하고, 멜라니고무나무의 잎은 짙은 올리브색으로 차분하고 정적이다. 멜라니고무나무의 잎 색을 사물로 치자면 필통이나 책표지에 쓰이는 짙고 윤기나는 가죽쯤이 될 것 같다. 그런데 그것이 다가 아니라 멜라니고무나무의 잎 가장자리에는 선명한 아우트라인이 있어서 햇빛이 비치면 테두리만 노랗게 빛난다. 그냥 노랑이 아니라 노오―랑이라고 말을 길게 끌며 어떤 분위기를 더해야 할 만큼 입체적으로. 그러면 나는 햇빛이 가져온 그 극적인 변화가 매혹적이면서도 비현실적으로 느껴져 거의 눈을 떼지 못하고.

그렇게 입구 구경을 마치고 본격적으로 입장하려는데 매장 문이 닫혀 있었다. 식물들을 밖에 내놓은 걸 보면 주인이 멀리 가지는 않은 듯하고. 혹시 식사를 하러 갔을까, 아니면 오늘은 쉴 생각인가, 그러면 모처럼의 내 외출은 어떻게 되는 걸까. 머릿속이 복잡해지는데 옆 가게에서 주인이 톡 나오며 나를 반겼다. 가게를 옆으로 이전할 계획이라 셀프 공사를 하고 있다며 목장갑을 벗었다. 그리고 문을 열어주더니 다시 옆으로 건너가서 일하고 있는 가족을 도왔다. 매장에 혼자 남겨진 나는 얼떨떨했다. 날 어떻게 믿고? 마스크 위로 보이는 내 인상이 그렇게 나쁘지는 않았던 걸까. 아니면 혹시 매장에 CCTV가 있어서 도난을 염려할 필요가 없는 걸까.

결과적으로 그날 나는 몇 주간의 고립감을 떨칠 수 있을 정도로 자주 웃었다. 화원을 오가다보면 말을 아끼는 주인이 있고 자신 역시 지독한 식물 덕후여서 가드닝의 희열을 손님과 수다로 푸는 주인도 있는데 그는 후자였다. 하던 일을 잠시 정리하고 돌아온 주인은 가게에 있는 꽤 많은 종류의 식물들을 보여주며 그것이 왜 근사한가를 즐겁게 소개했다. 너무 예쁘지 않아요? 귀엽지 않나요? 정말 그래요! 하는 찬탄이 오갔다. 괴근식물에 대해서도 알려주었는데, 덩어리 '괴塊'에 뿌리 '근根' 자를 쓰는 다육식물의 일종으로 줄기와 뿌리가 한 덩어리라고 했다. 누군가는 생김새 때문에 감자라는 별칭으로 부르고 누군가는 인삼에도 비유하지만 사실 이름에 붙은 그 덩어리라는 말이 모든 매력을 설명하는 것 같았다. 둔중한 무게감과 부피감 그리고 성장이 더디고 더뎌 정지된 듯한 광물 같은 느낌.

나는 괴근식물을 길러보지 않았지만 아주 튼실하고 생명력이 강해 보고 있으면 힘을 얻는다는 주인의 찬탄에 필란투스

미라빌리스를 들이기로 했다. 주인은 괴근식물 중에는 태국의 험난한 벼랑 끝에서 온 것들도 있다고 말해주었다. 사실 괴근의 육중한 몸체는 그런 혹독한 환경에서 버티기 위한 것이고 그러니 자생지에서 잘 살도록 보존해야 하는데 수요가 있으니 일꾼들이 상당한 위험을 감수해가며 채취한다고. 그런 윤리적인 문제들에 대해 실감할 수 있는 대화였다. 식물을 건네받으면서 나는 그 한 덩어리의 괴근이 불러들이는 다양한 상념들에 휩싸였다. 누군가에게는 생계이거나 상품이거나 화물이거나 진열품이지만 이제는 내게 와 같은 공간에서 같은 빛을 쬐고 같은 공기를 마시며 함께 살아갈 '그것', 그 삶이라는 식물의 무게가 묵직했다.

계산을 하면서 주인은 공사로 온실을 만드는 중이었다고 말했다. 열선을 놓아야 해서 손이 많이 가는 일이라고. 이제 가을 초입이지만 가게 주인도 나도 겨울을 걱정하고 있었다. 내가 발코니의 추위를 염려하자 주인은 아무래도 웬만한 화분들은 집안에 들이는 편이 좋으리라 충고했다.

"아무래도 그렇겠죠?"

나는 동의했다. 하지만 자신은 없었다.

"아, 식물이 많으시군요!"

갑자기 주인이 동지를 만난 것처럼 반가워했다.

"집안으로 들이라고 하자 눈동자가 흔들리는 걸 제가 봤다고요!"

사실 내 발코니는 식물 모두를 실내로 들이는 일이 불가능할 정도로 식구가 늘어 있었다.

주인이 테이프를 여러 번 감아 포장 박스에 손잡이를 만들어준 덕분에 미라빌리스를 데리고 오는 길이 편했다. 차창 너머로 오랜만에 만나는 문래의 풍경을 보다가 오늘의 화원 주인은 예리한 관찰력과 상당한 생활력을 가진 사람이 아닐까 생각했다. 이 사람을 빈 가게에 두어도 될지 안 될지쯤은 자기 역량으로 충분히 판단할 수 있는, 매장 공사쯤은 직접 드릴과 망치를 들고 해치울 수 있는, 괴근 하나가 여기로 오기까지 거쳐온 여러 사람의 노동을 기억하고 사가는 이들에게 그것을 일깨우는, 다가올 겨울을 함께 걱정하다가도 결국 그렇게 대책 없이 식물에 빠져버린 또 한 명의 가련한 식물 집사에게 적절한 위로와 응원을 건넬 수 있는.

마지막에 그는 해가 지면 미라빌리스가 '퇴근'을 하리라는 알쏭달쏭한 말을 남겼다. 자기 예상에는 내가 그 장면을 본다면 소리를 지르며 경탄하리라고. 나는 그 퇴근이란 게 대체 무엇인지 물어봤지만 그는 보면 딱 알 거라고, 나중에 여유가 되면 사진으로 찍어 자신에게도 보내달라고만 하고 뒷말을 아꼈다.

집으로 돌아오니 어느새 하늘이 어두워지고 있었다. 발코니에 미라빌리스를 풀어 놓으며, 오랜만에 외출을 할 수 있어서 좋았고 그 장소가 '문래'라서 좋았다고 생각했다. 내게는 문래가 소설이 오는 자리, 글쓰기가 시작되는 동네이니까 글을 쓰지는 않았지만 그 비슷한 일을 하고서 돌아온 기분이었다. 요 며칠 새 작업을 전혀 할 수 없었던 터라 그런 감회가 더 소중했다. 해가 지자 놀랍게도 미라빌리스가 펼치고 있던 잎들이 확 오므라들었다. 마치 짝! 하고 박수를 한 번 친 사람의 손처럼. 야, 이제 퇴근! 하고 외치며 의자에서 일어서는 동료의 알림처럼. 아, 이제 다음 컷의 시작입니다, 하고 슬레이트를 치는 방송국 스태프의 동작처럼. 그렇게 삶이라는 덩어리가 내 발코니에서 첫 신호를 보내고 있었다.

집사 일기

거실 바닥에 누워 벽면을 채우고 있는 식물들을 올려다 볼 때면 자랑스러움과 대견함, 오랜 시간을 함께해온 존재에게서 느끼는 감격과 심지어 경이가 차오른다. 물론 내가 여행을 떠난 사이 물을 주러 왔던 엄마는 "이제 그만 좀 사!"라는 일침이 담긴 메모를 남겼지만. 하지만 변명하자면 나는 발코니가 좁아져버린 탓에 새 식구 들이기를 상당히 포기하고 있었다. 적어도 허기 같은 소유욕을 무작정 채우려는 사람은 아니라는 얘기다.

종종 일흔 개나 되는 식물을 어떻게 다 돌보느냐는 질문을 받는다. 그러면 좀 겸연쩍어지는데, 그리 대단하지도 특별하지도 않은 일이기 때문이다. 솔직히 말하면 나도 내가 이 식물들을 어떻게 관리하고 있는지 잘 모르겠다. 처음에 식물 집사가 됐을 때는 어느 포트에 물을 줬는지 기록해두거나 비슷한 급수 주기를 가진 식물들을 끼리끼리 놓고 관리하기도 했지만 지금은 그런 각별한 매뉴얼도 없으니까. 언제 발코니에 나갔는지도 헷갈리고 화분들마다 상태를 세심히 고려해가며 돌보지도 못한다. 그런데 그러면 이 많은 식물들은 대체 어떻게 우리집에 살아남아 있는 것일까.

찬찬히 생각해보니 내가 그다지 하는 일 없이 식물들이 주는 혜택만 누리고 있는 건 아니었다. 다만 이제 돌봄이 생활의 일부가 돼 더이상 일이 아니게 됐을 뿐이다. 일부러 살피려 하지 않아도 아침에 일어나면 자연히 식물들에 시선이 간다. 식물의 상태를 관찰하려는 것이 아니라 긴 밤의 꿈을 마치고 내가 일어났으니까, 새날이 시작됐으니까 가닿는 눈길에 가깝다. 식물들은 동물과 달리 삶의 호흡이 길다. 절화를 생각해보면 알 수 있을 것이다. 가지에서 잘려 나온 꽃이 얼마나 천천히 시들어가는지. 그러니 하룻밤 사이 극적인 변화가 일어날 일은 없지만, 그래도 식물들은 아침마다 조금씩 다른 모습들을 하고 있다.

거실 창가로 이사간 브룬펠시아 재스민은 물이 부족하면 잎이 축 처진다. 마치 기대를 품고 팔을 벌렸다가 원하는 것을 얻지 못하고 엉거주춤하게 내린 사람처럼. 그러면 나는 아침을 준비하기 위해 싱크대 앞에 서 있다 말고 바가지에 그냥 물을 담아 부어준다. 큰마음 먹을 필요도 없고 물 줄 채비를 본격적으로 하면서 화분 돌보기를 부담스럽게 시작할 필요도 없다.

물을 주고 오는 길에 또다른 화분이 눈에 띄면 싱크대로 데려와서 샤워를 시킨다. 그러고 도로 화분 진열대에 가져다놓는 것은 너무나 귀찮은 일이므로 일단 싱크대에 둔 채 그대로 요리를 시작한다. 간단한 볶음밥이나 계란 토스트가 내가 즐겨 만들어 먹는 아침 메뉴다. 그렇다보니 상황에 따라 화분에 기름이 튀기도 하고 냉장고에서 막 꺼낸 재료들과 화분들이 뒤섞여 뒤죽박죽이 되기도 하지만, 그것이 또 가장 자연스럽고 흔한 우리집 풍경이기도 하다. 주방 개수대는 물을 흠뻑 맞은 뒤 그 물이 다 흘러나올 때까지 식물이 대기할 수 있는 안

정적인 공간이고 동시에 인간인 내가 먹을 것을 마련해야 하는 공간이니까.

정성스럽게 닦고 살피며 잎 하나 떨어질까 창가에 식물을 고이 모셔놓는 마음도, 고무 '다라이'에 손 가는 대로 화초들을 심어 골목에 내놓고 "가져가지 마세요"라고 엄중 경고를 써놓는 마음도, 잠이 덜 깬 채 계란 껍데기를 치우다 화분을 툭툭 치고 지나가는 내 마음도 크게 다르지 않다고 생각한다. 그저 같이 사는 방법 중 하나일 뿐이다.

그렇게 아침을 시작해 오후를 지나 밤이 될 때까지 식물과 관련된 자잘한 일들이 습관처럼 흘러간다. 빨래를 걷으러 나갔다가 분무기를 잠깐 뿌려 혹시 유칼립투스에 그 원수 같은 응애가 생기지 않았는지 알아보고(응애는 거미줄 같은 가는 줄을 친다), 제라늄이 마른 꽃을 달고 있으면 항상 그 화분 옆에 두는 녹슨 전지가위로 간단히 잘라준다. 수도꼭지를 튼 김에 항상 물을 반기는 고사리들에도 슥 뿌려주고, 물을 자주 줄 필요는 없지만 그래서 잊기 쉬운 무늬 스킨답수스 화분을 지나면서는 손가락을 넣어 잠깐 상태를 살펴본다.

그 밖에도 글을 쓰러 내 방으로 들어올 때 손에 잡히는 용기에 물을 받아와 딱 그만큼만 화분에 물을 주는 것, 노트북을 충전하러 콘센트 쪽으로 가는 김에 식물등도 한번 켜주고 다음 문장이 이어지지 않을 땐 책상에서 일어나 집안을 서성이며 화분 위에 알비료를 조금씩 두는 것.

결국 식물을 기르면서 내가 하는 일이란 대체로 일상과 겹쳐 있다. 생각해보면 이런 것이야말로 가장 오래갈 마음이 아닐까. 준 것을 특별히 기억하지 않는 완전한 습관으로서의 돌봄, 혹은 사랑 같은 것 말이다.

여행을 다녀와서 보니 엄마가 챙겨주었는데도 몇몇 식물의 상태가 좋지 않았다. 잎이 바싹 마른 식물들을 안타깝게 보고 있다가 나는 그냥 거기에 평소처럼 물을 주었다. 예상대로 유칼립투스 멜리오도라는 잎이 말라 있었고 예상 못했지만 미스김라일락 역시 그 풍성한 잎을 다 떨군 채 앙상한 가지를 내보이고 있었다. 시간이 며칠 더 흐른 지금 다행히 미스김라일락은 다시 녹색 잎을 터뜨렸지만 유칼립투스 멜리오도라는 여전히 잎과 가지가 말라 있는 상태다. 그래도 물을 주고 전지가위를 든 날에는 가지도 잘라주었다. 소용없을지도 모르지만 그렇다 해도 가능한 한 힘써보는 것 또한 나라는 사람의 습관이다. 돌아오지 않더라도, 얻는 것이 없더라도 끝까지 애쓰면서 아주 천천히 손에서 떠나보낼 수밖에 없는 것, 그 역시 우리가 아는 사랑의 일면이니까.

기도를 부탁해

반려견이 노환을 앓아왔기 때문에 내게는 준비할 시간이 있었다. 아픈 반려동물을 둔 사람들이 모인 인터넷 카페에 가서 글을 읽어보는 것이 사실상 그 준비의 핵심이었다. 지난주 아침, 엄마가 전화해 장군이가 갔어, 라고 울먹이며 전했을 때 나는 내가 가장 먼저 해야 할 일을 알았다. 장례 업체에 연락하는 것과 꽃집에 가서 꽃을 사는 것.

길을 나서니 가을 햇빛이 아주 세고 쨍했다. 보도블록에 빛들이 내리꽂히는 것이 아닌가 싶을 만큼. 역 지하상가 꽃집에 들어갔는데 사장이 "꽃은 어디에 쓰시려고요?" 하고 친절하게 물었다. 나는 당황해서 말문이 막혔다. 어쩌면 첫 손님일지 모를 내가 불운한 소식을 사장과 나누는 것이 괜찮을까 싶었기 때문이었다. 하지만 다른 설명이 떠오르지 않아 "저희 강아지가 세상을 떠나서요"라고 솔직히 답했다. 조금 떨리는 내 목소리가 내 목소리 같지 않았다. 하기는 이제 나는 이전과는 다른 내가 되어버린 것이었다. 열여덟 해 동안 함께한 존재가 더는 없는 내가 된 것이었다. 사장은 소국을 권했고 나는 거기에 꽃잎이 작고 귀여운 노란 꽃을 추가했다.

"저도 강아지를 두 마리 길러요. 일곱 살이에요."

사장은 조심스럽게 나를 살피면서 말을 이어나갔다. 빠르고 익숙한 손길로 줄기를 다듬고 잔잎들을 정리하면서. 나는 그 손길을 보고 있다가 "그러세요?" 하고 반겼다. 아마도 웃었을 것이다.

"네, 언제나 개들이 먼저예요, 저는. 가게 문 닫고 들어가서도 저 밥 먹기 전에 개들 먼저 먹여요. 그러지 말라고 사람들이 그래도, 그게 안 돼."

"맞아요, 안 되죠. 너무 예쁘잖아요. 저도 그랬거든요."

"그래요, 개네가 VIP예요, 늘."

다듬은 꽃을 얇은 비닐로 포장하면서 사장은 한 달에 두세 번은 이런 꽃을 사러 사람들이 온다고 했다. 여기 들어서면서 뭔가 주저했던 것이 기우였구나 싶었다. 카드를 내밀자 사장은 약간 몸을 숙여 받았고 내가 가게를 나설 때는 "잘 보내고 오세요"라고 말해주었다.

근처에는 얼마 전 안타까운 인명 사고가 일어난 곳이 있었다. 그 사실을 알고 나서 지날 때마다 그곳에 눈길이 가고 마음 아팠었는데 그날 아침은 더욱 그랬다. 사고 이후 거리에 놓이기 시작한 꽃다발들은 사고 무렵보다 수가 더 늘어나 있었다. 그렇게 한편에 죽음을 두고 걷고 버스를 타고 물건을 사러 가야 하는 죄스러운 날들, 안타깝고 슬프고 바뀌지 않는 현실을 지켜만 볼 수 없어 가져다놓은 저 작고 아름다운 한 다발의 식물들. 가장 간절하고 애끓는 마음이 될 때 우리는 이런 것에 기대게 된다고 생각했다. 꽃, 나무, 달, 물결, 하늘, 구름처럼 모두에게 주어져 '갖는다'는 개념이 아예 불가능하고 그래서 절대적인 힘을 가지고 있으리라 믿는 것들에.

꽃을 가지고 왔다고 하자 장례지도사는 "함께 넣을까요?" 하고 물었다. 나는 고개를 끄덕였다. 엄마는 반려견이 너무 말

라 추울 거라며 따뜻한 겨울옷을 입혀 보냈는데, 장례지도사는 평소에 입던 옷이야말로 가장 좋고 예쁜 수의라며 잘하셨다고 말해주었다. 그리고 마지막 인사를 하라고 했다. 나는 몸에 마비가 와 일 년 넘게는 일어날 수도 없었던 나의 강아지, 대학을 막 졸업한 신입사원에서 여러 권의 책을 낸 작가가 되기까지 함께였던 내 가장 가까운 친구에게 작별을 고했다. 안고 쓰다듬고, 채 말할 수 없는 인사는 눈물로 대신했다. 장례지도사가 화구 앞에서 마지막으로 다시 반려견을 보여주었다. 내가 한동안 바라볼 수 있게 잠시 기다리다 내가 올려놓은 꽃다발에 반려견의 앞발을 포개서 마치 선물 받은 꽃다발을 폭 안은 듯 해주었다.

"장군이가 꽃 받고 환하게 웃네."

같이 있던 집사람이 말했다. 입가가 좀 늘어진 반려견은 평소의 표정이 그랬듯 정말 개구쟁이처럼 웃는 듯한 얼굴이었다. 너는 최선을 다했어, 하고 나는 마음으로 말해주었다. 여섯 살 때 시력을 잃고 그뒤 십이 년을 실명 상태로 지냈던, 그럼에도 늘 씩씩하고 당당했던 반려견의 삶은 내가 잘 알고 있었다. 그 삶을 지켜볼 수 있었고 마지막을 이렇듯 꽃으로 축원

할 수 있으니 다행이라고 여러 번 생각했다. 이제 그 다행함에 마음을 두어야 한다고.

그날 밤, 친구가 연락을 해왔다. 며칠 전 만났을 때 상황이 좋지 않다고 걱정하는 대화를 나눴는데 그새 이렇게 된 것이었다. 나는 눈이 아플 만큼 울었다고, 솔직하게 말했다. 혼자 있을 수가 없어서 저녁에 나가 거리를 무작정 걸었다고, 그런데 이상하게 죽음이 실감나지 않는다고.

"아주 오랫동안 그럴 거야."

몇 해 전 어머니를 잃은 친구는 그렇게 말했다.

"집에 있을 것 같고 전화 걸면 통화할 수 있을 것 같고. 나도 그렇더라고."

친구의 말 하나하나에 어린 슬픔이 전해지는 듯했다. 이내 친구는 화제를 돌려 네게는 식물들이 있잖아, 그걸 잘 보살펴, 하고 기운을 북돋워주었다.

"못 그럴 것 같아, 다 성가셔."

"그러지 마, 나중에 후회해. 물을 주고 보살펴, 알았지?"

반려견이 위중해진 여름부터 사실 식물들을 제대로 돌보지 못하고 있었다. 죽은 화분이 늘어나는데도 이따금 물을 주거나 가지를 좀 정리하는 정도가 최선이었다. 친구는 반려견이 하늘에서 이제 아프지 않기를 기도해주겠다고 했다. 오래 종교를 가졌던 친구라서 그 말이 더 미더웠다.

"그러면 이제 우리 장군이 눈도 보이게 해달라고 기도해줄 수 있니?"

나는 나도 모르게 하나의 바람을 더 보탰다. 친구는 그러겠다고 약속하며 내게 힘을 주었다. 통화를 마치고 발코니로 나갔을 때는 자정이 넘어 있었다. 한때는 잘 자라서 세 번을 끊어다 물꽂이를 했던 몬스테라 아단소니가 잎이 몇 장 마른 채로 발코니 입구를 지키고 있었다. 꽃을 연이어 내던 베고니아 코랄리나도 언젠가부터 잎 색이 옅어진 채 더이상 꽃을 맺지 않았다. 다른 무언가를 돌보기 어려울 만큼 그날의 나는 텅 빈 것 같았지만 억지로 힘을 내어 수도 앞으로 갔다. 이 역시 어쩌면 기도의 방식일지도 모르겠다고 생각하면서. 내가 하는 작은 일이 내가 희망하는 큰일의 달성으로 이어질지 모른다는 기대와 바람. 나는 기도를 부탁하는 마음으로 식물들에게 물을 주었고 방으로 들어가기 전 잎들을 잠깐 만져보았다.

우리들의 세컨드 스텝

식물 세계에 입문할 즈음 '세컨드 스텝'이라는 말을 배웠다. 유튜브 영상을 통해서였다. 한 베고니아 전문가가 외줄기 베고니아를 가리키며 이렇게 줄기가 하나면 불안하고 '세컨드 스텝'이 나와줘야 안심이라고 강조했던 것이다. 그가 말한 세컨드 스텝은 정확히는 세컨드 스템stem일까 싶은데 식물이 순 하나를 올린 뒤 그 옆으로 또다른 순을 내는 것을 뜻했다. 그렇게 순 하나가 늘어난다는 건 식물이 잘 자라고 있다는 신호였다. 혹시 잘못해서 줄기가 상하더라도 다른 하나가 남으니 다행스러운 일이기도 했다.

"자, 보이시죠? 세컨드 스텝이 있어야 문제가 생기더라도 걱정이 없단 말씀입니다!"

우리집에서 연이어 '세컨드 스텝'을 내고 있는 식물은 필레아 페페다. 필레아 페페는 크고 둥근 잎들을 주렁주렁 달고 있어서 중국에서는 돈나무라고 불린다. 키우기 쉬워서 초보자들에게도 한없는 기쁨을 주는데 우리집에서도 새순을 펑펑 터뜨려가며 잘 자라고 있다. 자구를 떼다가 심어서 화분을 세 개나 더 늘렸을 정도다. 그렇게 세컨드 스텝이 있다는 건 다음이 보장되는 것, 내일을 살아갈 힘이 비축되어 있다는 것. 미래에 대해 생각이 많아질 때면 나는 영상 속 그 베고니아 전문가를 떠올렸다.

반려견이 세상을 떠나고 엄마는 조금 변했다. 며칠 전에는 전화를 걸어와 이십여 년 전 들어둔 내 보험의 보장 내역을 확인하러 보험사에 같이 가자고 했다. 지금 엄마 보험들을 하나하나 확인하고 있는데 내 것도 해야겠다는 얘기였다. 나는 갑자기 엄마가 왜 보험 이야기를 하나, 그리고 나는 지금 당장 보험 청구할 일도 없는데 거기까지 가야 하나 싶어 다음으로 미뤘는데 그다음 주엔가 엄마는 혼자 보험사를 방문해 보험약

관에 대해 알아보고 왔다.

"이 회사 보험은 암이 다 되고 여기 회사는 부인과 질환까지 다 되고, 이건 나중에 갱신하면 백 세까지 보장이고."

엄마는 약관들을 짚으며 되풀이해 설명하다가 내가 귀담아듣지 않자 나중에 자기가 없으면 어쩌느냐며 걱정했다. 내가 보험금 청구 같은 일을 잘 챙기지 못하는 사람이기는 하지만 굳이 지금 이렇게 암, 골절, 사망 같은 단어들을 늘어놓으며 우리가 대화해야 할까. 좀 피곤해졌을 때 엄마가 말했다.

"나중에 나 죽으면 이 보험회사에서는 위로금도 나와. 잘 알아둬."

모든 것이 영원하지 않다는 건 명백한 사실이다. 하지만 우리는 평소에 그 점을 곧잘 잊는다. 사실 잊으니까 살 수 있고, 살기 위해서라도 잊어야 한다. 어쨌든 현재를 밀고 나가는 힘도 바로 그 망각에 있을 테니까. 하지만 반려견이 떠나고 나니 누구에게나 예정되어 있는 그 '부재'라는 숙명이 당장 오늘의 문제로 다가왔다. 엄마는 반려견이 떠나간 것처럼 그다음에는 당신이 내 곁에서 사라질 수 있다는 생각을 했고 그러면 남겨진 딸은 어떻게 될 것인가, 구체적으로는 얘가 몸 아플 때 보험금이라도 제대로 타먹을 수 있을까, 하는 걱정에 이르렀던 것이다.

거기까지 생각이 미치자 나는 엄마가 자기 나이를 새삼 무겁게 받아들이고 있는 게 아닐까 염려스러웠다. 하지만 엄마만큼 살아보지도 못한 내가 마치 내일의 부재가 없을 것처럼 낙관적인 얘기를 늘어놓는 일 또한 무례였다. 어떻게 해주어야 할까. 일단은 엄마와 자주 만나고 연락 횟수를 늘렸다.

며칠 전에는 고속터미널역에서 엄마를 만났다. 대구에 사시는 삼촌이 서울 병원으로 치료를 받으러 오는 날이어서 엄마가 서울까지 온 것이었다. 삼촌은 지금 삼차신경통을 앓고 있고 아이러니하게도 그 병 때문에 남매는 자주 만나게 되었다. 평소에는 이삼 년에 한 번 만날까 말까 하는 정도였다.

처음 치료를 하러 온 삼촌을 만났을 때 눈이 빨개지도록 울었던 엄마는 이제 조금은 담담하게 병원을 가고 함께 밥을 먹고 또 대구로 삼촌을 떠나보낸다. 그렇게 만나고 헤어지는 순간에 무슨 감정이 일었다 사라지는지, 완치가 어렵다는 사실을 의사로부터 매번 확인하고 내려가는 막냇동생을 바라보는 누나의 마음은 어떤 것일지 나는 알지 못한다. 한없이 슬프고 아프기만 한지, 아니면 엄마가 살아온 세월 동안 반복된 그 무수한 내일들 덕분에 실버 라이닝silver lining 같은 희망과 낙관이 빛나는지 알지 못한다. 다만 엄마를 지켜보며 나 역시 맞게 될 몇십 년 후의 일상에 대해 어렴풋이 배워갈 뿐이다.

엄마와 나는 역에서 만나 꽃시장이 있는 삼층으로 올라갔다. 도매 상가이니까 얼마나 다양한 꽃을 저렴한 가격에 살 수 있을지 기대에 부풀었다. 하지만 애석하게도 생화 시장은 정오까지만 운영했다. 마스크를 썼는데도 층 전체에 꽃향기가 진하게 났고, 그렇게 향기가 또렷한데도 우리가 구입할 수 있는 건 조화들뿐이었다. 나는 사려면 생화를 사야지 조화는 안 된다고 아쉬워하다가 어느 가게의 공중에 걸려 있는 화관花冠을 발견했다. 장미, 백합, 델피늄, 들꽃, 라눙쿨루스와 데이지…… 엄마와 나는 한동안 홀린 듯이 그 마술처럼 예쁜 꽃들을 올려다보았다.

"화관 좀더 작은 사이즈는 없나요?"

이윽고 내가 가게 사장에게 물었다.

"더 작은 거 뭐에 쓰시게?"

나는 대답을 하지 않고 그저 조금 더 작아야 한다고만 이야기했다. 그러자 사장은 어디에 쓰려고 그렇게 작은 걸 찾느냐고 또다시 물었고 내가 말을 않자 엄마가 "우리 죽은 강아지 유골함에 씌워줄 거예요" 하고 대답했다. 말을 고르거나 망설이지 않고, 내가 이 만발한 조화들 속에서 차마 꺼내지 못한 의도를 정확히 설명했다. 슬픔의 무게를 덜어줄 화관의 판매를 요구하면서.

내가 아는 한 식물들의 세컨드 스텝은 아주 적절한 거리 속에 유지된다. 순 하나가 올라왔다고 원줄기가 도태되지 않고 원줄기가 새로 나온 순을 경계하여 고사시키는 일도 없다. 그렇게 조용히 각자의 다음 스텝에만 충실한 식물들은 때론 모든 생명의 궁극적인 진행 방향을 알고 있는 듯 느껴지곤 한다. 그다음에 대해 숙고하고 결정하는 것은 스스로의 몫이자 영역이라는 사실을 우리에게 보여주며 자라난다.

내일부터 엄마에 대한 걱정은 조금씩 덜기로 한다.

올리브가 하는 일

집사들이 모든 화분에 존중과 애정의 눈길을 보내는 것은 아니다. 내게는 올리브 화분이 그랬다. 이 년 전쯤, 지중해 어딘가를 떠올리게 하는 짙고 고상한 모습의 잎에 반해 처음으로 올리브 화분을 들였다. 인터넷으로 구입했는데 막상 받아본 올리브는 상태가 그리 좋지 않았다. 생각보다 소엽이었고 가위를 많이 댔는지 뾰족하게 잘린 가지들이 군데군데 남아 있었다. 기대와 달라도 너무 달랐지만 기억으로는 만원 안팎의 가격이었기 때문에 그냥 토분에 옮겨 심었다. 햇볕을 쬐어주고 물을 잘 주면 멋있게 자라겠지, 일 년 내내 잎이 푸른 식물이니까, 하고 생각했다.

그런데 올리브는 제대로 자라지 않았다. 조화처럼 내내 같은 모습이었다. 새잎을 거의 내지 않고 이따금 마른 잎을 떨굴 뿐이었다. 그런 기척을 낼 때에야 올리브가 살아 있다는 것을 알 수 있었다. 마치 어떠한 사건도 일어나지 않는 지루한 책을 읽고 있달까. 〈맘마 미아!〉처럼 지중해를 배경으로 한 열정적이고 활기차며 감정의 발산이 있는 드라마를 기대하고 있다가, 일상의 디테일 모사에만 열중하는 어느 예술 감독의 무섭도록 정적이고 고독한 실험 영화를 보게 된 느낌이랄까. 아무튼 올리브의 상태는 내 기대와는 전혀 달랐다.

그즈음 새로 생긴 동네 카페에 근사한 올리브 화분이 있었다. 우리집 올리브보다 크고 가지가 멋지게 뻗어 있고 잎이 풍성하며 잎 모양 역시 올리브 열매처럼 길쭉했다. 카페 앞 보도에 놓여 바람이 불 때마다 긴 가지를 흔드는 올리브를 보며 우아하구나, 하고 감탄했다. 올리브 하면 떠오르는 모든 것들, 평화, 태양, 수확, 결실, 생명, 풍요 등에 걸맞은 모습이었다. 내가 넋을 놓고 바라보자 집사람이 같은 데서 파는 걸 구입하라고 부추겼다. 카페에 물어보면 아마 알려줄 거라고.

"어떻게 그래?"

그러면서 나는 휴대전화로 올리브를 몇 장 찍는 것으로 만족했다. 그건 어떻게 물어보냐는 뜻이 아니라 우리집에도 올리브가 있는데 어떻게 그러냐는 뜻이었다. 똑같은 식물이 집에 있더라도 기꺼이 들이는 사람이 있고 나처럼 종류별로 딱 하나씩만 키우기를 고집하는 사람이 있을 것이다. 삽목이나 물꽂이로 번식시킨 것이 아니라면 우리집에는 같은 식물은 없는데 그 이유는 또 뭘까. 적어도 더 다양한 식물을 갖고 싶은 욕심 때문은 아니었다. 이미 있는 식물을 선물 받았을 때도 똑같이 기뻤으니까. 그저 그러면 안 될 것 같았다. 적어도 내 발코니에서는 각자가 고유한 개성과 존재감을 인정받으며 유일하기를 바랐다.

그뒤로 카페에 갈 때마다 올리브에게 관심을 두었고 집으로 돌아와서는 발코니에 있는 내 올리브에 물을 주었다. 그러던 어느 날 올리브 잎이 딱딱하게 마르고 희끗희끗해진 것을 발견했다. 손으로 떼어내자 생기 없이 뜯겨 나왔다.

"있잖아, 죽은 것 같아."

나는 서재로 뛰어가 알렸다. 집사람은 자기 할일을 하고 있다가 놀랐잖아, 하는 표정을 지어 보였다.

"뭐가?"

"올리브."

"너 웃고 있는 것 같은데?"

"에이, 아니야."

"아니, 너 올리브 새로 살 생각에 웃는 것 같은데 분명히?"

나는 아니라고 손을 내저으면서도 새로운 올리브를 살 생각을 솔직히 했고 카페에 가면 거기서 키우는 올리브의 품종이 뭔지 알아보리라 결심했다. 하지만 그러는 사이 여름이 지나고 가을이 깊어졌다. 여름까지만 해도 내 옆에서 일으켜라, 물을 내놔라, 배변 패드를 갈아라, 하며 자기 불편함을 이야기했던 반려견이 계절과 함께 떠나고 그후에 찾아든 막막함과 싸우며 겨우 일들을 해나갔다. 식물들에게 물을 제대로 주기 시작한 건 상실을 겪고 나서 몇 주나 지나서였고 식물등을 다시 켠 것도 한참 후의 일이었다.

무언가를 보살피는 마음에서 그 대상은 다른 대상으로 좀처럼 대체되지가 않았다. 마음은 늘 동일한 것이라서, 쓰려고 하면 여러 대상을 향해 나아갔고 더이상 쓸 수 없게 되었을 때는 자연스럽게 함께 멈췄다. 어느 날 보니 꽃이 너무 많이 펴서 꺼려지기까지 했던 백화등은 고사 직전이었고 물때를 자주 놓쳐 바싹 마른 자엽안개나무는 거의 가망이 없어 보였다.

안 되겠다 싶어 겨우 마음을 추슬러 발코니를 들락거리던 어느 날, 올리브 화분에 일어난 변화를 목격했다. 새잎이었다. 가장 위쪽 가지에서부터 새순이 돋고 있었다. 그 새잎들의 색은 너무 앳되고 밝아서 햇빛 아래 거의 노란색으로 보였다. 나는 긴 침묵을 깨고 생명을 터뜨리기 시작한 올리브 앞에서 오래 울고 싶은 기분이 들었다.

올리브가 왜 갑자기 자라기 시작했는지는 모르겠다. 비료나 영양제를 주지도 않았고 사실 더 사랑한 것도 아닌데. 변화가 있다면 가을로 접어든 뒤 내가 기운을 차리기 전까지 물을 적게 준 것 정도였다. 올리브의 원산지를 찾아보았다. 지중해 기후에서 사는 올리브는 과습에 매우 취약하고, 특히 묘목일 때는 건조하게 길러야 한다고 했다. 인터넷에서 사들여 몇 년생인지는 알 수 없었지만 어쩌면 이 어린 올리브가 뜻밖에 최적의 환경을 만나 뒤늦게 힘을 키워 자란 것일 수도 있었다.

또 확실히 바로잡게 된 오해도 있었다. 잎의 희끗희끗한 얼룩은 병이 아니라 물에 든 철분 성분이라는 사실이었다. 올리브의 상태와는 관련 없이 그저 우리집 수돗물에 철분이 많구나 여기면 될 일이었다.

이제 올리브는 앙상하던 줄기 마디마디를 새잎으로 채우며 11월을 만끽하고 있다. 어두운 터널을 자기 힘으로 통과해 세상으로 나온 사람들이 그렇듯 올리브에게서는 어딘가 자기 충족적인 환락이 느껴진다. 오늘을 위해 그 오랜 시간을 얼음처럼 멈춰 힘을 기르고 있었구나 생각하면 그동안의 내 무지가 미안해지지만 그런 집사의 복잡한 마음이야 상관없이 올리브는 오늘도 자기 마음대로 자라고 더 높이 뻗고 새잎을 펼쳐 보인다. 바로 그것이 지금 올리브가 하는 일, 원래 자기 마음에 맞게 올리브가 해내려던 일이다.

코로키아에 대해 비로소 알게 된 것

식물 집사들이 자조적으로 나누는 얘기가 있다. 식물 상태가 좋지 않을 때 어떻게 해야 하냐고 물어봤자 사실 답이 없다는 것이다. 증상은 다양하지만 답변은 언제나 적당한 물 주기와 적당한 통풍 그리고 알맞은 광량으로 이어지니까. 잎이 처지거나 노랗게 되거나 말리거나 하는 문제들이 나타나면 나도 구입처에 사진을 보내 물어보곤 하는데 대개 그런 답변이 돌아온다. 여러 번 살폈는데요, 하며 그것 말고 뭔가 더 전문적인 처방이 없는지 물으면 대화는 "그렇다면 조금 더 기다려보세요!"라는 응원으로 끝난다. 답은 늘 정해져 있는 셈이다.

드물게 다른 처방이 내려지는 경우는 해충이 나타났을 때다. 우리집 발코니에는 응애가 자주 출몰해서 지난여름에도 피해를 봤다. 아카시아 데알바타가 죽어버린 것이다. 어느 늦은 봄, 좋아하는 통인동 화원에 가서 사온 화분이었다. 화원 주인과 함께 아카시아를 들여다보면서 가을이면 잎 색이 더 아름다워지리라고 즐거워한 기억이 선하다. 그렇게 쪼그리고 앉아 화분을 보고 있을 때 화원의 개가 다가와 킁킁대며 내 냄새를 맡았던 기억도. 그날 화원 주인은 생장을 위해서라도 중간 위쪽의 가지는 과감히 자르라고 했다.

“아까워서 그건 도저히 못할 것 같아요.”

“아니에요, 꼭 하셔야 해요.”

그렇게 가지를 치기도 아까워했건만 아카시아 데알바타는 하얀 장막을 치며 나타난 응애떼에 포위돼 내 곁을 떠나고 말았다. 나는 여름 내내 속앓이를 해야 했다.

여담이지만 해충의 경우 나는 살충제를 뿌리는 것 외에도 물 샤워를 여러 번 해주며 관리한다. 물을 꼭대기부터 부어 잎을 씻어내는 것이다. 아무리 친환경적으로 만들었다고 하더라도 살충제를 치고 나면 식물이 시들시들해지거나 하룻밤 새 상태가 급격히 안 좋아지는 일이 생기면서 선택하게 된 방법이다. 물론 살충제를 아예 안 쓸 수는 없지만 사실 물 샤워로 해충을 제거할 수 있다면 그 방법을 가장 추천하고 싶다. 그러고 보니 해충 퇴치에 대한 답 역시 물 주기. 문제는 다양하고 발코니의 수난은 끝이 없는데 어찌 해답은 이렇게 정해져 있을까.

각자의 발코니마다 쉬이 죽는 식물들이 있다. 내 발코니에서는 마오리 코로키아라는 뉴질랜드 식물이 그렇다. 마오리 코로키아는 집사들 사이에서 인기가 많은 식물로, 아주 가느다란 가지에 작은 잎들이 달려 세련된 느낌을 준다. 이 식물이 유독 시선을 사로잡는 건 가지가 어느 한편으로 단순하게 뻗지 않고 섬세하게 방향을 틀며 자라기 때문일 것이다. 다른 식물들의 수형이 사인펜으로 그은 분명한 선이라면 코로키아의 수형은 붓으로 터치해낸 것처럼 촘촘하게 분화되어 있다.

식물을 기르면서 실감하게 된 사실 중 하나는 사람들이 화분을 실내로 들여 모방하고 싶은 것이 단순한 자연의 상태가 아니라는 것이다. 우리는 그것이 식물이되 미감의 차원에서는 자연에서 적절히 이탈된 오브제로 기능하기를 바란다. 그런 점에서 코로키아는 여러모로 자연보다는 물체에 가까운 면이 있다. 좁쌀만한 작은 잎, 가늘디가는 가지, 물을 자주 주지 말고 흙이 바싹 마를 정도의 건조함을 유지해야 하는 생장 환경마저도. 여기다 잎 색이 은빛인 코로키아마저 있어서 이 식물의 모던함은 더 특별해진다.

하지만 어찌된 일인지 나는 코로키아 앞에서 매번 실패하고 말았다. 식물을 기르는 것은 사실상 그 식물과 대화를 하는 것과 같아서 코드가 잘 맞는 식물이 있는가 하면 그 식물에 접속되지 않는다는 느낌을 받는 경우가 있는데 코로키아가 그랬다. 처음 집으로 들여온 은빛 잎의 코로키아는 마치 구리로 된 가느다란 철사를 꽂아놓은 듯한 모양새로 거실에 놓여 있었다. 대개는 포트에 심어진 식물을 사서 직접 분갈이하지만 코로키아는 우드 스탠드가 있는 근사한 도자기 화분에 심어진 것을 인터넷에서 보고 반해 주문했었다. 보는 사람들마다 "이거 조화야?" 하고 물을 만큼 완벽한 모양새였다. "아니야, 살아 있는 거야"라고 하면 신기하다는 경탄이 돌아왔다.

그때까지 코로키아가 그렇게 예민한 식물인 줄 몰랐던 나는 별다른 주의 없이 물을 주며 지냈다. 그러던 어느 날 이것이 정말 살아 있는지 아닌지 알 수 없다는 불안이 들었다. 원래도 잎은 매우 건조했고 가지 색도 처음과 큰 차이가 없어 일단 부랴부랴 발코니로 옮겨 물을 주고 햇볕도 쬐어주었다. 하지만 나는 받아들여야 했다. 사실상 이미 생장 활동을 하지 않는 그것에 물을 주고 있었다는 사실을 말이다. 그런데도 코로키아는 정말 살아 있을 때와 큰 차이가 없어 보였다. 손으로 만지면 잎이 다 부스러져내린다는 점을 빼고는.

한동안 코로키아를 버리지 못했다. 식물을 일부러 말려서 만드는 드라이플라워도 있으니까 잠시 두고 아름다움을 누리고 싶었다. 하지만 처음부터 목적하지 않았다는 점에서 '말린 것'과 '말라버린 것'의 차이는 분명했다. 코로키아를 보면서 그것이 살아 있었다는 점을 떠올리지 않기란 불가능했고 무엇보다 그뒤부터는 화분을 본 사람들의 질문에 "그래, 죽었어, 죽은 거야"라는 대답을 반복해야 했기에 더는 버틸 수가 없었다. 어느 날 나는 화분에서 코로키아를 꺼내 쓰레기봉투에 집어넣었다. 바싹 마른 가지들이 우드득 부서졌다. 그렇게 욱여 넣어버리는 일에는 완력을 사용했다는 느낌이 선명하게 남았다.

그뒤로 코로키아를 다시 키워봐도 결과는 같았다. 생장 상태를 알 수 있게 녹색 잎을 선택했지만 실패의 과정을 더 확연히 보여줄 뿐이었다. 마오리 코로키아라는 이름은 척박한 환경에서도 잘 자라, 마치 마오리족의 강인한 생명력을 닮은 듯하다는 뜻에서 붙여졌다고 한다. 하지만 불행히도 이 식물에게는 내 발코니가 사막이나 벼랑 끝보다 더 척박한 환경이었던 셈이다. 그렇게 생각하면 기분이 묘해진다. 왜냐면 나는 바로 그곳에서 매일매일 살아가고 있으니까. 다 시들어버린 화분을 집에서 발견할 때 우리가 충격을 느끼는 이유는 바로 그 때문이 아닐까.

며칠 전 발코니를 서성이다 텅 빈 화분들을 한데 모아보았다. 거기에는 나를 뿌듯하게 했던 코로키아 화분도 있었다. 그 흰 도자기 화분에는 아무래도 그런 것, 코로키아처럼 생긴 식물이 있어야 했기에 다른 무언가로 대체해 넣을 수가 없었던 것이다. 그런 실패의 빈 공간을 보고 있으면, 어쩔 수 없이 내가 제대로 키우지 못한 식물들이 떠오른다. 대체 그 식물들은 왜 다 말라버렸을까 고민하게 되고 그러다보면 결국 통풍을 좋게 하고 물 주기를 잘하며 햇볕을 적당히 쬐어줘야 한다는, 누구나 떠올릴 수 있으나 사실상 그래서 도움이 되지 않는 답으로 귀결된다.

그날도 그런 생각의 연쇄에 빠져 있는데, 갑자기 발코니에서 벌어지는 일들에 지나치게 나 자신을 넣어서 판단하고 있지 않는가 싶은 생각이 들었다. 내가 뭘 할 수 있다고? 식물을 이 공간으로 오게 한 것이 나라는 이유로 발코니에서 겪는 모든 실패와 성공에 '나'라는 변수를 넣어 관여하고 있지 않는가. 이때의 관여는 책임을 진다는 의미와는 다른, 부자연스럽고 맹목적인 '연연함'처럼도 느껴졌다. 우리가 관여할 수 있는 조건은 한정적이고 우리는 절대 살아 있는 것들의 완벽한 관장자가 될 수 없다. 인간이 다 알 수 없는 그런 공백 때문에 어떤 식물은 자라고 어떤 식물은 성장을 멈춘다. 그러니 빛, 바람, 물이라는 답은 가드닝의 수많은 실패자들을 북돋우고 자책에서 구해내는 치유의 말일지도 몰랐다.

며칠 전 집 근처의 서오릉화훼단지를 찾았을 때 한 화원의 사장이 내게 마오리 코로키아와 마오리 소포라(코로키아와 유사한 종이다)를 권했다. 젊은 사람들이 좋아하는 식물이라고, 우리 가게에도 그 식물을 몇 포트 들여왔다고. 봄만 해도 그 단지에는 사무 공간에 공급할 공기정화식물이 주를 이뤘었지만, 이제 플랜테리어에 대한 관심이 높아지면서 나 같은 개인 고객들을 겨냥하는 상품도 팔기로 한 것 같았다. 여전히 그 이국의 식물은 아름다웠고 식물등과 서큘레이터까지 갖춘 내 발코니는 전보다 더 나은 환경일 수도 있었지만 나는 고개를 저었다. 못 기를 것 같다는 불안이나 이제 더는 관심이 없다는 것과는 차원이 다른, 그 식물을 끝까지 키워내지 못함으로 해서 오히려 꽤 깊은 곳까지 이해하고 만 듯한 나쁘지 않은 실패감이었다.

참 괜찮은
제라늄 친구

친구 쪙아가 이사한 뒤로 우리는 만나기 적합한 장소를 찾기 위해 고심해왔다. 처음에는 자주 그랬듯 B역 근처에서 만났는데, 각자의 본가가 있는 곳이라 마음이 불편했다. 지척에 부모님이 있으니 자유롭지 않은 느낌, 얼른 집에 가 효를 행해야 할 듯한 책임감. 우리는 어른이 되어서도 그런 부담감에서 벗어나지 못해 웬만하면 B역에서는 만나지 말자며 우회적인 회피를 택했다. 적당한 중간 지점을 찾느라 약속 당일 아침까지 장소를 이리저리 바꾼 끝에 사당으로 결정했고 마침내 우리는 정오가 되기도 전 한 태국 음식점에서 마주앉았다.

메뉴를 결정하고 맥주도 함께 시켰는데 쩡아가 열두시도 안 됐는데 맥주를 먹을 수 있다니! 하면서 감격했다. 친구가 아이를 낳으면서 자연스레 만나는 시간이나 헤어져야 하는 때가 친구에게 맞춰졌다. 더 정확히는 친구의 딸인 다정한 어린이 연이의 스케줄과 컨디션에. 우리는 종종 셋이 만났지만 그날은 친구가 "엄마도 이제 친구 좀 만나자!"라고 강력히 어필해 배웅을 받으며 나왔다고 했다.

식사를 하던 친구는 아 맞다, 하면서 휴대전화를 꺼냈다. 그러고는 식물 사진을 보여주었다. 봄에 만났을 때 친구가 처음으로 화분을 들였다며 사진을 보여줬던 게 생각났다. 그때 보자마자 "제라늄이네" 하고 알아맞히자 "역시 넌 식물 박사야"라는 칭찬이 돌아와 괜히 으쓱했던 것도. 친구는 저번에 내가 알려준 재료들로 분갈이를 시도해봤지만 결국 엄두가 안 나서 가게에 맡겼다고 했다. 과연 제라늄은 베이지색 토분에 자갈까지 얹어져 멋지게 분갈이되어 있었다. 나는 초보자에게는 분갈이가 어려운 일일 수 있는데 괜히 직접 해보라고 부담을 줬구나 생각했고 이내 잘했다고, 예쁘다고 말해주었다. 쩡아는 내 충고대로 꽃이 지면 꽃대를 잘라주고 잎 정리도 해줬는데 아직 새 꽃이 피지 않는다고 걱정했다. 나는 분갈이를 한 뒤라 아직 적응하는 데 시간이 필요해서일 거라고 답해주었다. 우리집 제라늄 중에도 위치를 좀 옮겼더니 꽃대 올리기를 멈추고 상황을 살피는 녀석이 있다고.

"역시 시간이 필요하구나."

친구는 고개를 끄덕이더니 실은 식물을 더 샀다고 고백했다. 또 사진을 보여줬는데 금전수와 몬스테라였다. 그리고 금전수 잎에 물방울이 생긴다며 자기가 뭘 잘못했는지를 물었고 나는 밤사이 뿌리에서부터 올라온 수분이 잎 가장자리에 맺히는 현상이라고, 신경쓸 것 없다고 안심시켰다. 그러면서도 혹시 물을 자주 주고 있나 싶어 금전수는 절대 물을 많이 주면 안 되는 식물이라고 덧붙였는데, 친구는 삼 주에 한 번 정도로 알맞게 주고 있었다.

"연이가 반려동물을 기르고 싶어해서 우선 식물부터 보살펴보라고 시작했는데, 식물이 있으니까 참 좋더라."

나는 어디를 가면 식물 이야기를 너무 많이 하지 말아야지 다짐하는 편이지만 친구가 그렇게 공감해주자 더이상 참을 수가 없었다. 얼마 전 에어컨 청소를 하느라 그 주변의 식물들을 모두 치워놓았는데, 그러고 나니 집이 순식간에 삭막해지더라, 식물이 얼마나 실내 환경에 중요한지 톡톡히 깨닫게 되더라, 그래서 같이 사는 사람에게 내 덕에 얼마나 훌륭한 환경을 누리고 있는지 늘 생각하라고 생색내게 되더라, 네가 금전수와 함께 산 몬스테라는 정말 무럭무럭 자라는 친구라 키우는 보람이 상당할 거야, 아마 지금 잎이 좀 상한 건 다 잊어버릴 정도로 어마어마한 새잎 세례를 받게 될걸? 그렇게 늘어놓다 나는 물꽂이를 해둔 몇몇 식물들을 떠올렸다. 가지치기한 줄기들이 아까워 뿌리를 냈더니 개체 수가 불어났고 그런 식물들이 내 좁은 가드닝 환경을 더욱 비좁게 하고 있었다.

원한다면 그 식물들을 쩡아에게 나눠주고 싶었지만 그렇게 섣불리 '영업'했다가는 이제 막 시작된 가드닝에 대한 관심이 사그라들 수 있으므로 나는 속으로 침착해야 한다고 다짐했다. 잘되면 이제 우리는 사당이 아니라 양재의 화훼단지에서 만나 같이 식물을 보러 다닐 수도 있으니까. 나는 우리집 식물 중 가장 잎 색이 아름다운 베멜하를 보여주며 한번 키워보지 않겠느냐고 회유했다. 친구는 멋진 식물이라며 마음에 들어했고 반색한 나는 그렇다면 다음에 당장 화분에 심어 가져오겠다고 나섰다.

"좋아, 그런데 천천히. 시간을 두고 천천히 줘."

"그래, 그럴게. 내가 잘 순화시켜놓을게."

제라늄을 통해서 본 내 친구는 알고 있던 것보다 더 신중하고 살아 있는 것에 마음을 쓰는 사람이었다. 차까지 맛있게 마시고 일어서는데 친구가 봉투를 하나 내밀었다. 얼마 전 내가 엄마 칠순이라 가족들끼리 식사했다고 한 말을 기억한 것이었다. 거기에는 축하의 말과 함께 '금희의 오랜 친구 쩡아가 드립니다'라는 인사가 적혀 있었다.

그날 친구와 헤어져 집으로 돌아오는데 아주 오래된 장면이 떠올랐다. 우리의 아지트나 다름없던 B역 근처를 돌아다니다가 쇼핑센터 에스컬레이터에서 우연히 쩡아의 어머니를 만난 일이었다. 그날 어머니가 "맨날 이렇게 둘이서만 놀면 어떡해"라고 농담을 하셨고 그 말에 우리가 하하하하 웃었던 것을. 그렇게 둘이 노는 것이 가장 재미있었던 우리는 시간이 흘러 이런 사람들이 되었다. '이런'이라는 말로밖에 표현할 수 없는 어른이.

언젠가부터 우리는 나중에 꼭 한동네에 살자고 다짐해왔다.

이십대 이후로는 한 번도 같은 도시에 있지 못했지만 그래도 할머니가 되면 '비 오는 날 부친 부침개가 식지 않을 거리'에 가까이 살자고. 우중雨中에는 부침개지, 하는 대화를 나누다가 나온 말이었다. 처음에는 낭만적이고 재미있다고만 여겼던 그 말은 이제 떠올리면 가장 힘이 되는 일종의 노후 설계가 되었다. 거기다 일 년 내내 꽃을 피우는 제라늄들과 금전수와 친구네 집으로 잘 옮겨가 무럭무럭 자란 베멜하까지 있다면 더욱 괜찮을 것이다. 그렇게 보살펴야 할 것들을 보살피며 나이 들어간 우리는 낮술보다도 이른 '아침 술'을 즐기는 참 괜찮은 할머니들이 돼 있을 것이다.

내가 아주 어렸을 때의 나무

호주의 그림책 작가 프레야 블랙우드의 『비밀의 숲 코끼리 나무』에는 '나무'와 '동물' 사이의 존재들이 등장한다. 윗부분은 코끼리이지만 다리는 나무둥치로 이루어졌거나 무성한 나뭇가지들이 낙타의 볼록한 혹을 이루고 있거나 하는 식이다. 모든 대상에 상상을 불어넣는 아이들에게 대상의 정체가 사회적으로 어떻게 규정되는지는 중요하지 않을 것이다. 아이들은 다만 자신들에게 무슨 감정을 불러일으키는지로 그 존재를 규정한다. 나무는 얼마든지 코끼리나 낙타 같은 움직이는 존재가 될 수 있고 동물도 마치 나무처럼 에너지를 스스로 땅으로부터 길어올리는, 자연의 이치에 맞춰 자기 모습을 바꾸어나가는 유연한 존재가 될 수 있다. 그리고 바로 그러한 유연한 가능성이 공사로 뽑혀나갈 위기에 처한 이 '동물 나무'들의 운명을 바꿔놓는다.

가족과 친구들에게서도 얻지 못한 위로를 나무에서 찾는 이 그림책 속 아이처럼 내게도 그런 나무가 있었다. 어려서 살던 집의 목련나무다. 아홉 살까지 골목에 있는 단독주택에 살았던 나는 그 무렵에 관한 진한 향수를 지니고 있다. 겨울이면 안방에 석유난로를 켜두어야 할 정도로 방한이 안 되는 집이었지만 어린아이를 즐겁게 하는 많은 것들이 있었다. 작은 화단이 놓인 앞마당이 있었고 비밀을 잔뜩 품은 듯한 지하실이 있었고 부엌 뒤편에는 목련나무가 자라는 좁은 뒷마당이 있었다.

어떻게 보면 목련나무는 거기 갇혀 있는 셈이기도 했다. 뒷마당은 어른 두 명이 겨우 설 수 있을 만큼 면적이 좁은데다 담과 건물 벽으로 둘러싸여 있었기 때문이다. 그래도 목련나무는 잘 자랐고 나는 그 나무를 자주 들여다봤다. 거기에 나무가 있다는 사실이 안정감을 주었다. 누군가 내 마음을 알아주

는 것 같은 기분좋은 안락함이었다. 그림책을 읽으며 한동안 잊고 있었던 목련나무를 떠올렸다. 저녁에 해가 길게 들어오면 그 빛을 달고 이거 어때, 하며 가지를 뻗어 보이던 나무를 말이다.

아주 오래되고 좀처럼 멈추지 않는 부모의 감정싸움 속에 살았던 나는 집에 큰 갈등이 일어나면 주눅이 들어 느릿느릿 땅만 보며 등교하곤 했다. 자연히 상상 속에서만 안전과 안락과 위로를 느끼곤 했다. 책이 그런 상상으로 가는 문 역할을 해주었다. 목련나무가 있던 집을 떠나 십 년을 넘게 살았던 아파트에서는 단지 내 나무들이 그런 나를 지켜봐주었다. 처음에는 앙상하고 볼품없던 그 나무들은 내가 스무 살이 될 때쯤에는 제법 울창하고 우거진 성목成木으로 변해 있었다.

그리고 나 역시 그 나무들이 바라보이는 작은 방에서 열심히 자랐다. 닥치는 대로 책을 읽어내려가면서, 책장을 펼치면 열리던 지금과는 다른 가능성을 탐색하면서. 때로 내 글을 읽을 독자들을 어떤 모습으로 그려보는가 하는 질문을 받으면 자연스레 그때의 나를 떠올리게 된다. 지금 당장 현실에서 벗어날 수는 없지만 앞으로 다른 미래를 살 가능성이 있다면 아이는 그 순간을 견딜 수 있다. 코끼리 나무를 상상하며 견딜 수 있고 외계인을 상상하며 견딜 수 있고 아름다운 우정이나 사랑, 신뢰를 상상하며 견딜 수 있다. 지금 생각해보면 그 많은 책들이 궁극적으로 가르쳐준 것은 그런 삶에 대한 상상력이었다. 그 힘으로 어떻게든 현재를 통과해내겠다는 의지였다.

얼마 전 집에서 친구와 대화를 하다가 어린 시절 이야기가 나왔다. 자연스레 그때 나를 괴롭게 한 세세한 악몽들이 떠올랐고 점점 흥분해 말이 길어지기 시작했다.

"그 시절 슬픔에 대해서는 정말 말하기도 싫어."

어린 시절 돈 때문에 수업 준비물을 못 가져가기도 했던 친구는 손을 훠이훠이 내저었다. 순간 나는 말을 멈췄다. 최근 들어 나 자신에 대해 덜 생각하기로 결심했는데 실천은 아직 요원해 보였다. 내가 그 결심을 한 건 자기의 작은 자아에 집착하는 사람은 오로지 "두려움에 가득찬 자기 보호"만을 중요하게 생각한다는 독일의 신학자이자 심리학자인 오이겐 드레버만의 말을 읽었기 때문이었다. 나는 나라는 좁은 면적에 갇히고 싶지 않았고 내가 본 나무들처럼 더 넓고 높은 성장을 향해 있고 싶었다.

우리는 가만히 마주앉아 각자의 잔에 막걸리를 더 따랐고 묵묵히 건배를 한 다음 서로에게 별다른 위로를 하지 않고 다음 화제로 넘어갔다. 그림책 속 아이가 상상계에서 발견한 존재뿐 아니라 실제로 얼굴을 맞대고 웃을 수 있는 진짜 친구를 찾아 끝내 행복해진 것처럼. 발코니와 거실에서 몇 해를 함께 보내온 식물들이 그런 우리를 둘러싸고 있었다. 자기 불행을 스스로 관리하게 된, 한때는 너무 작은 아이였던 어른들을.

유기
식물

식물 기르기에 빠진 나는 어린 시절 우리집에 있던 식물들을 자주 떠올리고 있다. 현재의 행복에 집중하고 싶은 마음은 왜 늘 과거의 간섭 속에 있을까 싶은 생각과 함께. 십여 년 전 나는 유년을 함께한 산세비에리아를 죽게 만든 적이 있다. 실은 주로 하는 것이 그 산세비에리아 화분에 대한 생각이다.

대중적인 공기정화식물로 웬만한 사무실이나 가정집에서 흔히 볼 수 있는 산세비에리아는 초등학생 시절의 내 사진 속에도 등장한다. 그날 산세비에리아가 오랜만에 꽃을 피웠고 아빠는 늦잠을 자고 있는 날 깨워 발코니로 데리고 나갔다. 더 자고 싶었지만 아빠 말을 따르지 않을 수는 없었다. 아름다운 광경이 우리집에 벌어졌고 아빠는 막내를 앞세워 그것을 기념하고 싶으니까.

사진에서 산세비에리아의 꽃은 정면을 향해 있고, 그 뒤에 어린 내가 엉망이 된 머리와 잠옷 차림으로 앉아서 그래도 웃고 있다. 나는 유년 사진 보는 일을 그다지 즐기지 않는데 이유 중 하나는 내 표정이 대체로 어둡기 때문이다. 그 시절 사진이란 가장 자연스러운 순간을 포착하는 일상의 기록이 아니라 제대로 각을 잡고 찍어야 하는, 대체로 '기념을 위한 것'이었다. 필름 카메라의 시대였고 실제 이미지를 확인하는 데 드는 비용은 디지털에 비할 수 없을 만큼 비쌌으며 무엇보다 번거로웠으니까. 사진 촬영 현장에는 언제나 누군가의—특히 어른들의—지시와 통제가 있었다. 사진 속 내가 표정이 굳어 있거나 인상을 쓰고 있거나 지루해하고 있는 건 아마도 그 때문일 것이다.

그래도 산세비에리아 사진에서 나는 활짝 웃었고 나는 그것이 아빠 말을 듣지 않고 내 멋대로 하고 나와 카메라 앞에 섰기 때문이리라고 짐작한다. 산세비에리아도 나도 자연스러웠다. 나는 산세비에리아가 개화한 그날의 내 기분만큼만 차려입고 발코니로 나섰다.

그렇게 우리 가족과 함께하던 산세비에리아가 온전히 내 몫으로 남겨진 건 오랜 시간이 흐른 뒤였다. 아빠가 회사를 접은 뒤 부모님은 가게를 열어야 했고 거기에는 그 큰 산세비에리아 화분을 둘 곳이 없었다. 부모님마저 가게에 딸린 방에서 지내야 하는 상황이었다. 나도 내키지는 않았다. 비로소 독립해 내 공간을 갖게 되었는데 나 혼자서는 들기는커녕 밀기도 어려운 화분을 가져가야 한다니. 산세비에리아는 다분히 부모님 취향인 난초 무늬의 무거운 대형 도자기 화분에 심어져 있었다. 검처럼 날카로워 보이는 긴 잎들은 두껍고 뭔가 단단히 질긴 느낌이었다.

나는 크다, 무겁다, 관리할 능력이 없다 등등의 이유를 대며 어떻게든 맡지 않으려 했지만 할 수 없이 화분을 가져왔다. 그리고 최대한 눈에 띄지 않는 곳에 두고 방치했다.

정성스레 돌보는 이가 없는 화분은 시들어갔다. 수십 년을 꼿꼿하게 서 있던 잎들이 점차 사선으로 기울기 시작했다. 하는 수 없이 줄로 묶어주었지만 그렇게 해서 통풍이 어려워지자 잎들은 더 상하게 되었다. 그러는 동안 내 인생에도 수많은 굴곡들이 생겨났다. 하나하나 열거하면 그 행위로 인해 내 마음이 다시 다칠 만큼의 숱한 실패들이었다. 작가가 되고 싶다는 열망을 키우고, 그다음에는 책을 내고 싶다는 꿈을 키우고, 잡지사에 작품을 투고했다가 반려되는 날들이 그렇게 흘러갔다. 어느 날 보니 산세비에리아는 더는 버텨내지 못하고 시들어 있었다.

그걸 발견한 날 나는 어쩐지 상한 것이 산세비에리아만은 아니리라는 자괴감에 휩싸였다. 어떻게 보면 나 자신도 다를 바 없지 않을까 하는.

늦었지만 나는 막 돋아난 어린 산세비에리아 잎들을 작은 화분으로 옮겼다. 그리고 죽은 잎을 다 뽑고 흙을 퍼내 텅 비어버린 도자기 화분을 엄마에게 돌려주었다. 엄마는 어디에 두라고 이걸 주니, 했지만 더 강하게 거부하지는 않았다. 엄마도 산세비에리아가 그렇게 된 게 속상했을 테지만 적어도 겉으로는 표현하지 않았다. 엄마는 빈 화분을 가게 마당에 놓고 지냈는데 어느 날 가보니 거기에 오이와 고추 같은 모종이 심어져 있었다. 시골에서 자란 엄마 역시 그렇게 자기 유년을 떠올리고 있는지 모른다고 나는 생각했다.

지금 내 발코니에는 되살려보려고 했던 산세비에리아의 어린잎조차 없다. 그런 반전과 안전한 결말은 없고 우리 가족의 역사를 함께했던 산세비에리아는 완전히 사라졌다. 그러나 기억은 남았다. 어찌 보면 당연한 게 아닐까. 우리가 보낸 날들에 번져 있는 슬픔이나 불행의 흔적은, 그 손상은 없던 일이 되지 않으니까. 그걸 알면서도 지독하게 산세비에리아에 대해 생각했고 그렇게 반복한 끝에 어느 날 이전과는 좀 다른 감정이 피어오르는 것을 느꼈다. 그건 아쉬움이라는 단어로 간명하게 설명되는 감정이었다. 수십 년을 함께했고 환한 꽃까지 피웠던 식물을 잃어버린 데 대한 서운함이 들었다.

그때 산세비에리아는 유년의 상처를 상징하거나 그 시절 부모가 내게 했던 무심한 유기를 대속하는 것이 아닌 그저 산세비에리아였다. 그제야 나를 채우던 그 많은 상념들이 그치면서 나는 이제 막 가드닝에 취미를 붙인 초보 집사답게 그 식물을 있는 그대로 떠올릴 수 있게 되었다. 그러니까 자기 자신을 유지한다는 의식도, 감각도 없지만 바로 그러한 연유로 한 번도 자기 자신의 삶을 유기하지 않았던 산세비에리아의 실체를 말이다.

3부

겨울은 녹록하게

메리 메리 크리스마스트리

올해 크리스마스 장식은 작년처럼 아라우카리아 화분에 할 예정이다. 아라우카리아는 내가 가져본 가장 크리스마스트리를 닮은 나무다. 촘촘한 바늘 같은 잎들이 침엽수임을 확실히 보여주고 가지 또한 적당히 늘어져서 멋스럽다. 세계에서 가장 아름다운 3대 조경수로 뽑힐 만큼 유명한 나무라고 한다. 실내에서도 잘 자라고 과습에도 강한 아라우카리아는 기르기 까다롭지는 않지만 그렇다고 정말 무심히 기를 수는 또 없는 식물이었다. 초여름쯤 잎이 타들어가기 시작해서 상한 가지들 중 하나를 잘라낸 뒤에야 상태가 좋아질 수 있었다. 알고 보니 직사광선을 조심해야 하는 식물이었다. 아라우카리아가 잘 자라기를 바란 건 당연하게도 크리스마스 때문이다. 연말 분위기를 내려고 새롭게 들이는 나무가 아니라 나와 함께 한 해를 살아온 식물과 송년의 기쁨을 나누고 싶었다. 특히나 팬데믹이 시작된 뒤로는 정말 버틴다는 감각으로 보내온 시간들이었으므로 더더욱. 다행히 아라우카리아는 기운을 차렸고 지금도 발코니에서 진녹색의 잎들을 차분하게 내보이고 있다.

어려서 우리집은 야자나무 화분에 크리스마스 장식을 했다. 지금 생각해보면 그렇게 큰 야자나무를 왜 기르게 되었을까 궁금해지는데 초등학생이던 내 키만했고 가지가 사방으로 쫙쫙 벌어져 있었다. 크리스마스가 되면 우리는 반짝반짝거리는 비닐 장식과 솜과 전구를 야자나무에 걸었고 그 앞에서 기념사진도 찍었다. 야자와 크리스마스라니, 불협화음 같은 장면이지만 그 앞에 선 나와 언니의 표정은 정말 성탄을 기뻐하는 것처럼 밝다. 케이크가 놓인 사진도 있는데 그런 해에는 더 근사한 크리스마스가 되었을 것이다. 지금은 기념일이면 케이크를 흔하게 먹지만 그때만 해도 그런 건 정말 특별한 기념을 위

한 음식이었으니까.

하지만 한편으로는 크리스마스트리가 그 정도로 비쌌나 싶은 생각이 들기도 한다. 진짜 나무가 아니라 모형이라면 아이들을 위해 하나쯤 사줄 수 있지 않았을까. 그러면 사진은 크리스마스 하면 사람들이 흔히 떠올릴 만한 이미지가 되었을 것이다. 뭔가 맞지 않는다거나 일종의 아이러니가 있네 싶은 구석 없이 매끈하게. 하지만 부모님은 검소하셨고 불필요한 지출에는 단호했다. 발코니에 있다가도 겨울이면 실내로 들어오는 커다란 야자나무로도 크리스마스 장식은 충분하다고 판단했을 것이다.

그렇게 생각하면 야자 크리스마스트리는 내 유년의 많은 면면을 보여주는 존재다. 매사에 성실하고 살림이 넉넉지 않았던 젊은 부부가 아이들과 성탄을 기념하고 싶어 선택한 야자 크리스마스트리. 부모님은 크리스마스라고 따로 선물을 사주지는 않았다. 하지만 내가 중학생이 되기 전까지 머리맡에 산타가 되어 쓴 쪽지와 함께 용돈을 놓아두곤 했다. 이제 와 생각하면 산타 할아버지가 아이들에게 현찰 선물을 한다는 건 말이 안 되지만 그 또한 부모님이 선택한 방식이었다. 지금도 무슨 날이면 부모님은 내게 물건 대신 현찰을 선물로 주신다. 무언가를 기념해 주고받는 순간조차 그것이 '호의'의 표현을 넘어선 '도움'으로 상대방에게 가닿아야 한다는 마음이 작동하는 것은 아닐까 싶다. 미래를 무심히 낙관하기 어려운 시절을 통과한 사람들이 가지는 선물에 대한 나름의 입장이 아닐까.

그런데 얼마 전 나는 나만의 크리스마스트리를 위해 의기양양하게 들인 아라우카리아조차 남반구에서 온 식물이라는 사실을 알게 되었다. 과습에 강하고 잘 자라는 건 열대우림이 서식지이기 때문이라고. 그때 나는 북반구의 겨울과는 전혀 어울리지 않지만 어쨌든 한 가족의 집으로 들어와 크리스마스 장식을 너끈히 감당해냈던 또하나의 열대식물, 어린 시절의 야자나무를 떠올렸다. 본래 어디서 왔든, 낭만과 이상 속의 크리스마스트리와 얼마나 닮았든 상관없이 그저 한 해를 무사히 보낸 가족들을 격려했던 그 야자 크리스마스트리를.

한 해의 마지막 달에는 스스로를 격려하는 시간을 가져야 한다고 생각한다. 굳이 특별한 무언가를 찾지 않아도 우리 옆에는 이미 그럴 만한 공간쯤은 마련되어 있다. 동네 화원에 잠깐 들르는 일만으로도 동행이 시작되는 식물들이 그 자리를 위해 기다리고 있다. 그렇게 모두의 한편에 송년 식물들이 따뜻하게 자리하는 겨울이었으면 좋겠다.

알로카시아의 겨울

지금 창밖은 초겨울치고도 매서운 날씨이지만 집 발코니는 십오 도 안팎이다. 가을을 맞았을 때 가장 먼저 온습도계를 마련했다. 평소 나를 위해서도 쓰지 않던 그 물건을 발코니에 놓고 수시로 확인중이다. 날짜를 헤아려가며 11월이면 식물을 방으로 들여야겠다고 계획했는데 실제로 11월이 되자 발코니에는 되레 꽃이 만개하고 다른 관엽식물들도 순하게 성장을 지속했다. 좀 건조하기는 했지만 다른 계절보다 오히려 편안해 보였다. 그때보다 온도가 떨어진 지금도 발코니에서는 게발선인장과 제라늄들이 풍성한 꽃을 피운다. 베고니아 코랄리나 역시 꽃줄기를 잘 짠 편물처럼 질서 있게 내려뜨리고 있다. 12월의 식물들이 건네는 이 환한 풍경, 줄어든 빛으로 일구어내는 여전한 생장은 요즘 나에게 큰 힘이다.

겨울을 맞이하기 전 식물들의 월동 온도와 시기를 조사해 표로 정리했다. 그런데 막상 겨울이 되고 보니 식물들에게는 날짜가 되었다고 해서 거기에 기계적으로 맞춰야 하는 월동 주기란 없었다. 환경에 예민하게 순응하면서 자기 성장을 조정해가는 식물들의 감각을 지켜보며 적절한 시기까지 기다리면 되는 일이었다. 발코니 식물 가운데 월동 온도가 가장 높은 식물은 알로카시아인데 아직 상한 기색 없이 싱싱하다. 추운 밤이면 온도가 더 떨어질 텐데 싶어 들여다보면 새로 난 잎이 점점 자라며 괜찮다고 말해준다.

올해부터 키운 알로카시아는 애착을 많이 가지고 있는 식물이기도 하다. '방망이' 상태로 와서 칠십 센티미터 넘는 잎들을 내는 과정을 지켜봤기 때문이다. 나는 인터넷으로 상품을 잘못 주문할 때가 잦고 그것은 변명할 여지 없이 상세 정보를 제대로 읽지 않기 때문인데, 알로카시아를 살 때도 그랬다. 상품 사진으로 걸려 있는 넓적한 잎에 매혹당해 구입 버튼을 누르면서 옵션 칸에 분명히 나와 있는 '잎째로'와 '잎 자름'이 무슨 뜻인지 살펴보지 않은 것이다. 나는 '잎 자름'을 선택하면서 그 말이 서로 엉켜 난 잎들을 적절히 손봐서 보내준다는 의미라고 제멋대로 짐작했다. 그리고 이후 신문지에 둘둘 말려 온 알로카시아 '몸통'을 받아들고는 깜짝 놀랐다. 그건 배송 과정에서 잎이 상할 수 있으니 잎자루만 조금 남기고 뭉툭하게 잘라낸다는 의미였다.

알로카시아를 흙에 심고 정말 잎이 날까 노심초사하는 내 모습은 그 무렵의 가장 인상적인 기억이다. 날이 따뜻해지자 알로카시아는 조금씩 잎을 내기 시작했다. 그것은 몸통에 '칼로 베인 듯' 일정한 틈이 나면서 마치 마술처럼 잎자루를 '꺼내는' 과정이었다. 그러는 동안 알로카시아는 여러 번 맑은 물을 흘려서 나는 또 혹시 무르는 것은 아닌가 전전긍긍해야 했다. 다행히 식물이 아주 건강한 상태일 때 보이는 현상이었다.

앞으로 며칠 더 지나면 알로카시아부터 실내로 들여야 할 것이다. 무조건 따뜻하다고 식물에게 좋은 환경은 아니다. 겨울철 실내는 보일러 때문에 건조하고 빛도 부족하며 더구나 그런 갑작스러운 환경 변화는 식물들에게 '몸살'을 일으킨다. 그러니 천천히, 시간을 두고 옮겨와야 할 것이다. 더이상 겨울의 입김을 피할 수 없게 되었을 때, 이제 정말 우리가 겨울의 한복판으로 들어가야 할 때.

‘호더’가 되지 않기 위하여

버리지 못하는 사람들이 있다. 감당할 수 없으면서도 뭔가를 들여와 자기 공간을 채우는 사람, 쓰임이 다한 줄 알면서도 단순한 물건 이상의 의미를 두고 있기에 도저히 ‘폐기’할 수가 없는 사람. 요즘 곰곰이 생각해보게 되는 단어가 바로 ‘호더hoarder’다. 물론 이 단어에는 병리적이고 집착적인 뜻이 들어 있기는 하지만 요즘 세상에 넓은 의미에서 호더 스펙트럼에 들지 않는 사람도 드물 것이다.

처음 몇 개의 식물로 시작했던 내 가드닝도 이제 발코니를 다 채울 정도로 규모가 늘어났다. 종류가 다양해 식물 집사들 사이에서 '제라 지옥'이라는 말로 그 끝없는 매혹이 회자되는 제라늄은 여덟 포트, 큰 잎이 좋아 키우기 시작한 몬스테라는 세 종류, 잎을 잘라 번식한 것까지 하면 여섯 포트다. 그러면서도 나는 봄이 되면 화원에 들러 식구를 늘릴 기대를 하고 있었는데, 계획에 제동이 걸리는 일이 일어났다. 이사를 가게 된 것이다.

계약 기간보다 먼저 나가달라는 집주인의 요구에 새집을 구해야 했던 날들에 대해서는 자세히 설명하지 않기로 하자. 새집을 계약할 때까지 잠을 이루지 못했고 보러 가기로 한 집이 몇 시간 전, 혹은 십 분 전에 계약돼 아예 내 차례가 오지도 않는 상황을 겪으며 점점 더 초조했다고만 적어둔다.

처음 우리는 이사갈 집에는 지금처럼 발코니가 있어야 한다고 조건을 달았다. 실내는 온도가 일정하고 서큘레이터나 식물등이 보조 역할을 할 수 있는데 굳이 발코니를 고집할 필요가 있을까, 라고 생각할 수도 있겠지만 절대 그렇지 않다. 아무리 훌륭한 거실이라도 발코니를 대신할 수 없고 아무리 양호한 발코니라도 노지보다 나을 수는 없다. 발코니가 없다면 키울 수 없는 식물도 있는데 예를 들어 호주산 아카시아종들이 그렇다.

가끔 들러 식물을 사는 종로의 화원 사장님은 최소한 발코니라도 있어야 호주산 아카시아 같은 식물을 기를 수 있다고 충고했다. 온도 변화를 겪어야 힘을 갖출 수 있다는 말이었다. 겨울이라는 난관을 거치지 않으면 아카시아의 뿌리는 제대로 발달할 수가 없고 그렇다면 생명력을 보장할 수가 없다. 겨울이 되면 식물들을 다 실내로 들여 추위를 피하게 하려던 나는 가드닝에서 중요한 건 그보다는 추위를 적절히 경험하게 해주는 일이라는 사실을 깨닫게 되었다. 마당까지는 아니더라도 최소한 지금처럼 발코니는 있어야 했다.

그러나 새집을 '선택'할 수 있으리라는 우리의 예상은 집을 보러 다니면서 점점 깨지기 시작했다. 전세 대란 속에서 그런 건 꿈이었고 위치와 예산만 맞으면 얼른 붙들어야 하는 상황이었다. 결국 우리는 요즘 추세대로 거실 발코니를 없애고 마루를 확장한 집을 계약했다. 그 매물을 잡기 위해 나는 원고를 쓰다 말고 자리에서 일어나 택시를 타고 다급하게 달려갔다. 중간 지점에서 만난 집사람이 택시에서 내려 다가오는 날 보고는 "아니, 왜 이렇게 뛰어?" 하고 놀라서 물을 정도였다.

나는 식물을 기를 자리가 지금의 삼분의 일로 줄어드는 상황은 감수할 수밖에 없다고 마음을 다잡았다. 그리고 이 화분들을 새집으로 다 데려갈 수는 없다고도. 마침 이사를 하는 가족이 있어 그 집으로 몇몇 식물을 분양하기로 했다. 그의 새집에는 다행히도 꽤 넓은 발코니가 있었다.

가족은 식물의 종은 상관없고 그저 사람보다 크지 않으면 된다고 이야기했다. 나는 그 얘기를 사람의 앉은키를 넘어서는 안 된다는 말로 받아들였다. 우리는 대개 집에서 앉아 생활하니까 만약 크기 면에서 식물에게 위압감을 느낀다면 그 정도 높이에도 마찬가지일 거였다. 마침 몬스테라 가운데 물꽂이로 키워내 작고 본성과 다르게 아직 여릿여릿한 것이 있어 보내기로 했다.

그다음에 눈에 들어온 건 아이스톤 크로톤이었다. 집사람이 마음에 들어한 식물이라 그의 가족인 새 주인에게도 의미가 있을 것 같아서였다. 변엽식물인 아이스톤 크로톤은 붉고 푸르고 노란 빛의 다채로운 잎을 지녔다. 백지를 물감에 여러 번 담근 듯 색이 불규칙하게 번져 언제 봐도 아름답고 화려하다. 햇빛의 양이 적으면 녹색 잎이 나는데 빛을 더 쬐어주면 본래 색을 띠게 된다. 하지만 보내기로 마음먹은 뒤에도 확실히 결정을 내리지는 못했다. 이 식물에 관한 기억들이 물결처럼 일어났기 때문이었다.

양재에서 포트에 심어진 상태로 사와서 몇 달간 마음에 드는 흰색 화분을 찾아 분갈이해준 기억, 그 흰색 화분이 처음에 오배송되어서 판매자에게 문의 글을 남겼더니 미안하다며 근사한 화병 하나를 덤으로 보내와 놀랐던 기억, 여름 동안 응애가 생겨서 스스로를 탓하며 씻기고 돌봤던 기억……

하지만 생각해보면 기억이란 생활의 잔류물 같은 것이 아닐까. 나는 흔들리는 마음을 다잡았다. 물론 기억의 톤, 감정, 의미를 환기하며 글을 쓰는 게 내 일이고 그 환기의 힘으로 현재의 어려움들을 이겨나가기도 하지만 그렇다 해도 그 기억 모두가 정말 중요한 것일까. 혹시 어느 면에서는 그 역시 '호더적' 패턴이 아닐까. 마침내 기억과 추억은 구분해야 한다는 자각이 들었다. 추억하는 것은 좀더 주체적인, 단순한 환기에서 더 나아간 의지적 행위니까. 그렇게 생각하자 식물을 보내야겠다는 결심이 섰다.

이사 소식을 전할 때마다 지인들은 대체로 식물은? 하고 물었다. 그렇게 질문해줄 때마다 나는 내 어려움을 알아주는 듯해 고마웠다. 식물 일부는 다른 집에 보내야 할 것 같다고 하자 중학생 때부터 친했던 친구는 내 마음을 걱정했다.

"정을 준 네 마음이 너무 안 좋겠다."

그때는 메신저로 우는 이모티콘을 보내는 정도로 표현하고 말았지만 나는 사실 콧날이 시큰할 정도로 아쉬움을 느끼고 있었다.

이사 비용 견적을 위해 방문한 기사는 식물들을 둘러보더니 트럭을 따로 써야겠다고 말했다. 2.5톤 탑차를 더 부를 정도는 아니고 화물칸이 개방되어 있는 1.5톤 트럭을 더 써야 한다고.

"춥지 않을까요? 밖에서 대기하다가 식물들이 얼지 않을까요?"

나는 내심 상태 완벽 보장 같은 답을 바랐지만 기사는 신중하고 후의 책임 문제를 위해서라도 말을 아끼는 사람이었다.

"최대한 비닐로 싸서 옮기겠지만 상황에 따라 그럴 수도 있습니다. 그 경우 이사 당일이 아니라 일주일쯤 있다가 식물들이 잎을 떨어뜨리기 시작하더라고요."

눈앞에 이사한 새집에서 잎이 누렇게 상해 흐물흐물 녹아내리는 식물들이 그려졌다. 기사가 돌아간 뒤 집사람과 나는 아무리 성수기라도 이사비 견적이 왜 이렇게 많이 나왔는지에 대해 토론했다. 처음에는 요즘 물가가 비싼 것 같다, 이 업체가 유독 더 부르는 게 아닐까, 했지만 곧 인정했다. 이사온 지 이 년이 채 안 되는 시간 동안 우리가 이 공간을 너무 많이 채워왔음을.

요즘 밤이면 발코니에 서서 어느 화분을 다른 곳에 보낼까 마음을 가늠해보고 있다. 기억이 있는가, 그건 힘써 떠올리고 여러 번 매만져보고 싶은 '추억' 정도인가, 추억하는 마음에는 목적이 있는가, 그 목적은 삶을 낫게 만드는가. 물론 마지막에는 역시 나는 생각이 너무나 많다, 생각 호더다, 호더, 하며 발코니나 한번 쓸고 들어올 뿐이지만 한동안 그 질문은 계속될 것 같다.

겨울이 오더라도

이맘때쯤 집에는 해가 더 길게 들어온다. 늦게까지 햇빛이 그윽하게 들어차 있는 풍경을 어제 오후 의자에 앉아 지켜보았다. 발코니 문을 열면 더위도 없고 화살처럼 꽂히는 햇살도 사라진 초겨울을 맞아 식물들이 어느 때보다 풍성하게 잎을 늘리고 있다. 지난해와 다르지 않은 듯하지만 모든 식물들에게 변화가 조금씩 있었다.

그중 무늬 싱고늄이 가장 크게 변했다. 옅은 노란색과 푸른색 그리고 흰색으로 마치 누군가 개성 있게 칠한 유화 같은 잎을 보여주는 무늬 싱고늄은 그간 빨래 건조대에 걸려 있었다.

그러다 건조대가 망가지는 바람에 바닥 생활을 시작했는데 전보다 훨씬 더 잘 자라고 있다. 잎도 많아지고 무엇보다 이 식물의 가장 큰 특징인 변이 잎이 늘었다. 그래서 건조대를 고치고 나서도 그냥 바닥에 둔 채로 기르고 있다. 좁은 발코니라 걸을 때 혹시 잎을 밟지 않을까 걱정도 되지만 아직까지는 무늬 싱고늄도 나도 서로 잘 피하고 있다. 햇볕을 잘 받으라고, 공기 중에 있으면 통풍이 잘될 거라고 걸어두었건만 그게 오히려 더딘 성장의 원인이었다니.

식물을 기르다보면 세상의 많은 일들이 내 지각에서 벗어나 있다는 생각을 하게 된다. 그들의 아름다움이 유지되고 생장이 계속되는 이유를 내가 다 알지 못한다는 것. 그것은 나를 왜소하게 만들기도 하지만 어려운 순간들을 받아들이는 힘이 되어주기도 한다.

아침에는 물꽂이해두었던 베멜하 삽수들을 살펴보았다. 세 개체인데 다들 넓고 짙은 녹색 잎을 싱싱하게 피워 올렸다. 뿌리도 꽤 난 상태였다. 내가 보기엔 이제 흙으로 옮겨 심어도 될 것 같았다. 식물을 심거나 분갈이할 때 꽃집에 의뢰한 적이 없었지만 이번에는 전문가의 손길을 빌리기로 했다. 지난번 친구 쩡아에게 베멜하가 뿌리를 잘 내리면 심어서 선물하겠다고 했는데, 올해가 가기 전에 그 준비를 해야겠다고 생각한 것이다.

개체들을 꼼꼼히 살펴보며 가장 버젓한 것을 골랐다. 잎이 크고 예뻐도 줄기가 기우뚱하게 뻗어나간 것은 도로 병에 꽂아두었다. 그리고 최종적으로 고른 베멜하의 뿌리를 물에 적신 키친타월로 감싸고 보온을 위해 에어캡이 부착된 책 봉투에 담았다. 집에서 마음에 둔 꽃집까지는 십 분 거리도 안 되지만 혹시 시들지도 모르니까, 비가 온 뒤 기온이 떨어졌다는 소식을 들었으니까 나름 대비를 한 것이다.

집에 있는 식물을 밖으로 데리고 나간 적이 거의 없어서 몰랐는데, 걷는 동안 마치 반려동물을 안은 것처럼 아끼고 보호하는 마음이 되어 놀랐다. 혹시 잎이 다칠까 바람이 불면 쭈뼛한 긴장이 들 정도였다. 이게 뭐라고 이렇게 겁을 내나, 집에 두 개나 더 있는데, 하면서도 조심스러워지는 건 어쩔 수 없었다.

점심시간 무렵 찾아간 꽃집은 부산했다. 사장은 장미 다발을 만들고 있다가 내가 식물을 심어달라고 하자 봉투를 열어 확인했다. 순간 아직 심을 때가 안 됐다거나 뭔가 잘못되었다고 하지 않을까 걱정했는데 사장은 "꽤 크네" 하더니 이만하면 작은 화분은 안 되겠다고 말했다. 베멜하는 넝쿨을 만들며 빠르게 성장하기 때문에 나중을 위해서라도 넉넉한 화분에 심어두는 편이 나았다. 나는 큰 토분을 골랐고 사장은 먼저 들어온 주문을 처리해야 하니까 한 시간 후에 찾으러 오면 어떻겠냐고 물었다.

"그럴게요. 그런데 작업하실 때 저한테 연락 주실 수 있을까요? 심는 걸 보고 싶어서요."

"심는 걸 보고 싶다고요?"

이런 경우가 별로 없는지 사장은 약간 놀랐다. 그러고 보면 식물 집사 생활을 수년째 하면서도 다른 이들이 식물을 다루는 건 거의 본 적이 없었다. 대부분 책을 통해 읽고 머릿속으로 상상했을 뿐이었다. 그래서 나는 정말 그 과정이 궁금했다. 사장은 그러면 분갈이부터 먼저 해주겠다고 했다. 작업을 방해한 듯해 미안했지만 그냥 "감사합니다"라고 했다.

분갈이 과정은 집에서 내가 하는 것과 그리 다르지 않았다. 흙의 유실을 막기 위한 망을 물구멍 위에 올리고, 입자가 큰 마사를 깔고, 흙을 넣어가며 식물을 심고, 마지막으로 입자가 작은 마사로 표면을 덮었다. 사장은 내가 초보 집사라고 생각했는지 과정을 하나하나 설명하며 분갈이를 했다. 가만히 지켜보니 마사를 나보다 많이 쓰는 점이 달랐는데 사장은 "마사를 많이 쓰면 이렇게 포근해"라고 표현했다. 마사는 다들 아는 것처럼 돌이고 포근함은 돌의 물성과는 상관없는 듯한데 누군가 그렇게 말하니 정말 그렇구나 싶었다. 어느덧 이불처럼 보드랍고 따뜻한 이미지를 떠올리고 있었다.

"그런데 정말 잘 키웠다."

사장은 분갈이를 마친 뒤 화산석 두 개를 장식으로 올려주며 감탄했다. 며칠 동안 충충하게 흐려져 있던 내 얼굴이 그 말에 잠깐 환해졌다. 누군가가 내 정성을 알아주는 것만큼 힘이 되는 건 없기 때문이다. 사실은 나도 사장의 마음 씀을 조용히 알아채고 있었다. 얼마 전 이 꽃집 앞에는 10월 29일에 일어난 참사를 애도하는 흰 국화가 통에 담겨 있었고 무료 나눔 한다는 안내가 적혀 있었다. 내가 오래 기른 반려견을 잃었을 때 마지막으로 품에 넣어줄 꽃을 사고 배웅을 받은 곳이기도 했다.

사장은 집이 가까우면 이대로 잘 안고 가라고 화분을 내게 안겼다. 그 가까운 길을 돌아오는데 아까와 똑같은 긴장이 다시 들었다. 쏟는 것 아닌가, 떨어뜨리는 것 아닌가, 이 찬 바람은 괜찮은가. 그렇게 화분을 바싹 안고 걷는데 뭐가 걱정일까 하는 생각이 들었다. 포근한 마사로 뿌리를 잘 덮어두었는데. 정작 베멜하는 이제 흙의 부드러움을 느끼며 발가락 같은 뿌리를 꼼지락꼼지락하고 있을 텐데. 그렇게 생각하자 마음이 풀렸고 언젠가 봄의 등장으로 끝이 날 이 겨울이 마냥 막막하지만은 않았다.

쓰는 인간

오랜만에 동료 소설가들을 만났다. 우리는 일이 끝나고 잠깐 차를 마시기 위해 걸으며 이게 얼마 만이야, 너무 반갑다, 라는 말을 반복했다. 그리고 우리가 마주치면 늘 하는 이야기, 등단한 이듬해인가 어느 술자리에서 그 무렵 등단한 거의 모든 신인 작가가 모였던 일을 다시 떠올렸다. 이상하게 그때 그 혜화동 술집은 세월이 흘러도 너무 생생하게 기억이 난다고 내가 말하자 다른 소설가들도 그렇다고 맞장구쳤다.

정말 내게는 그날의 일이 바로 어제처럼 가까웠다. 심지어 우리 중 한 명은 서른 살도 안 되었던 때였다. 그 오래전 밤에 나는 소설가인 Y가 자신의 스승인 모 소설가 선생님에 대해 이야기하며 한없이 환한 표정을 지었던 것을 기억하고 있었다. 오랫동안 소설을 쓰고 읽고 가르쳐온 사람을 흠모하며 자신의 미래를 조심스레 꿈꿨을 Y, 나는 그 밤 그가 소설의 모든 것을 좋아하고 있다고 생각했다. 내가 각별한 애정을 느끼는 또다른 소설가인 K는 오래전 그날 조금 늦게 합류했는데 그의 작품이 그렇듯 재치 있고 유머러스하고 열정적인 사람이었다. 자기 몸집만한 가방을 메고 나타나 날이 추워 옷을 이렇게나 껴입었다며 내게 내복 소매를 보여주었는데, 그 모습이 너무 귀여워 웃었던 기억이 있다. 내가 "그날 옷 많이 입었다고 말하던 게 생생해"라고 하자 K는 "오늘도 그랬어"라며 장난스럽게 자기가 입은 옷이 몇 겹인지 세어 보였다.

사실 소설가들이 만나면 서로의 작품 이야기는 거의 하지 않는다. 일의 고충을 하소연하느라 시간과 에너지를 다 쓰기 때문이다. 그날도 사는 얘기, 살긴 사는데 이게 사는 건가 고민이 드는 얘기들을 하며 약간 분위기가 어두워지는데 뭔가를 기르는 것에 관한 화제가 나왔다.

"맞아, 너 식물 기르잖아."

K가 글에서 봤다며 내게 말했다.

"응, 맞아."

내가 고개를 끄덕이자 K는 식물 얘기가 나오니까 얼굴에 화색이 돈다며 "너 정말 좋아하는구나"라고 인정해주었다. 그리고 자신은 수년째 금붕어를 기르고 있다고 했다. 금붕어는 얼마나 사느냐고 묻자 오 년 정도라는 답이 돌아왔고 그건 내 예상보다는 긴 시간이었지만 그 또한 이별을 맞이하는 입장에서는 많이 아쉬운 시간이겠구나 싶었다. Y는 최근에 달팽이들을 보살피고 있다고 했다. Y가 뜻하지 않게 달팽이 무리의 보호자가 된 이야기는 무척 재미있지만 내가 산문으로 쓰는 것은 적절치 않을 듯하다. 언젠가 Y가 소설이나 산문으로 그 얘기를 써줄지도 모르기 때문이다. 아무튼 Y는 자기가 원해서 시작한 게 아닌 그 일을 신념을 가지고 수행하고 있었고 보호자 역할을 제대로 해내기 위해 텃밭 키트를 사서 푸성귀를 직접 기를까 고민하고 있었다. 달팽이들의 먹이를 위해서였다.

K는 최근 몇 개의 화분을 기르기 시작했는데 생각보다 마음이 정화되는 효과가 커서 앞으로도 계속 길러볼까 한다고 의지를 보였다. 누군가가 식물에 관심을 갖는 것, 욕심을 내는

것은 요즘 내가 가장 바라는 일이라서 나는 반색했다. 여태껏 화분을 하나도 죽이지 않은 것만 봐도 분명 K는 식물을 잘 기르는 사람, 그린 핑거스가 분명하다며 계속 키워보라고 독려했다.

어디 식물 기르기만 그럴까. 같은 취미를 공유하는 관계는 세상 어느 관계보다 안전하면서 대가 없는 즐거움을 나눌 수 있는 사이다. 좋아하는 마음에는 수치가 없고 평가도 불필요하기 때문이다.

그렇게 식물과 금붕어와 달팽이에 대해 이야기할 때는 한없이 밝았던 우리 얼굴도 쓰는 일로 대화 주제가 넘어가자 다시 어두워졌다. 우리가 처음 만났던 혜화동에서 출발해 오늘의 광화문까지, 많은 밤들이 과연 어떻게 흘러갔던 걸까. 세상에 이렇게 좋은 소설이 많은데 굳이 이 어려운 작업을 또 해야 하나 싶다는 말이 나왔고 나 역시 거기에 동의했다. 아무리 오래 해도 떨칠 수 없는 두려움, 매일 백지 앞에 앉아 있으면서 매번 도망가고 싶었던 순간들, 점점 더 작아지는 출판 시장과 줄어드는 독자들.

나는 한 선배 소설가가 해준 "이 일에는 축적이 없다"는 말을 거의 매일 떠올리며 살고 있었다. 나만 그런 게 아니라는 사실이야말로 불분명한 불안과 공포로부터 스스로를 구해내기 때문이다.

"그래도 사실 글 잘 풀릴 때가 제일 행복하지 않냐?"

집으로 갈 때가 되자 K가 좀 겸연쩍게 웃으며 말했다. 그 또한 맞는 말이라서 우리는 한창 괴로움을 토로하다가 같이 웃어버렸다.

집으로 돌아와 그날의 대화를 떠올려보았다. 거의 삼사 년 만에 만나는 것이었는데도 어제 본 사람들처럼 친근했고, 많은 시간이 흐른 듯했는데 사실상 각자가 보내고 있는 일상은 비슷했다. 우리는 무엇이든 돌보려는 노력을 계속하고 있었다. 글쓰기가 가져오는 스트레스가 줄거나 사라질 리가 없다는 사실을 이제 받아들이고 있었다. 그리고 그럼에도 불구하고 어떻게든 글을 써보기 위해 책상 앞에 앉아 있었다.

Y는 일상의 모든 일을 처리하고 자기 방으로 들어와 글을 쓰기 위해 컴퓨터를 세팅할 때 자기 자신으로 돌아온 충만감을 느낀다고 했다. K는 곧 장편을 탈고하겠다는 계획을 세웠다. 나는 이렇게 셋이 앉아 있는 조용한 카페 풍경을 오래도록

기억하겠구나 생각했다. 소설을 '애호'했다가 어느새 너무 사랑한 나머지 그것을 행하는 사람들이 된 우리의 겨울을.

발코니 식물들은 어느 때보다 겨울을 무사히 활기차게 맞이하고 있다. 혹시 아파트에 사는 식물들에게는 계절이 조금씩 느리게 찾아오는 것이 아닐까 싶을 만큼. 그래서 식물들에게는 지금이 에너지를 비축하기 좋은 늦가을쯤이 아닐까 싶을 만큼. 이번 마감이 끝나면 베고니아와 몬스테라들을 물꽂이해 수를 늘려야겠다고 생각했다. 너무 무성하게 자라서 사람들이 일반적으로 떠올리는 그 여릿여릿한 매력은 다 잃어버린 유포르비아 티루칼리도. 그날 K에게 다음번에 만나면 물꽂이한 식물들을 나눠주겠다고 했던 말은 절대 그냥 한 말이 아니라, 우리의 내일을 기약한 말이었다. 겨울 햇살 아래 살아갈 힘을 쓰고 있는 식물들처럼 금붕어처럼 혹은 달팽이처럼 그때도 '쓰는 인간'으로 살고 있을 우리의 궁금할 것도 없는 미래에 대한, 그것은 일종의 축원이었다.

나의 부겐빌레아

기르는 식물 중에는 특정한 사람과 연관된 것들이 있다. 식물에 빠지기 전 우리집에 와서 지금까지 함께하고 있는 부겐빌레아는 엄마의 암 투병이 끝난 날 들인 식물이다. 부겐빌레아를 볼 때마다 자연스럽게 엄마를 떠올리고 시장의 작은 화원에서 고르고 고른 끝에 부겐빌레아 포트를 집어올리던 오래전의 나도 생각난다. 다행히 초기에 발견했지만 암은 쉽지 않은 병이었다. 그러니 화분을 들고 오던 날에는 벅차도록 기뻤을 것이다. 그후 부겐빌레아도 가지를 죽죽 뻗어 잘 자라면서 투병의 어두운 기억을 분명히 덜어주었을 것이다.

하지만 해가 지날수록 나는 식물에 다른 대상을 겹쳐놓는 일이 좋지 않다는 생각을 한다. 부겐빌레아가 혹시 잎이 마르면, 생기가 없어 보이면 불안해지는 것이다. 물론 잘 자라고 있으면 엄마에게 좋은 일이 생기려나보다, 기대도 하지만 식물의 상태에 내 감정을 기탁하는 일은 위험하게 느껴진다.

요즘 발코니에는 부겐빌레아 꽃이 한창이다. 부겐빌레아 가지에는 뾰족한 가시가 있고 목질화된 가지들은 사방으로 길게 뻗어 자란다. 좁은 발코니를 오가다보면 마치 지나는 사람을 슬쩍 붙들듯이 부겐빌레아 가지가 옷에 걸리곤 한다. 4월에서 11월까지 거의 연중 꽃이 핀다고 하는데 우리집에서는 대개 한겨울이 되어야 꽃이 올라온다. 처음에는 장미 꽃잎처럼 풍성하게 자라난 잎이 꽃이라고 생각했다. 하지만 나중에 알아보니 내가 꽃이라고 여겼던 그것은 꽃을 보호하기 위한 포엽이었고 진짜 꽃은 그 속에 거의 알아보기 힘들 정도의 크기로 피어 있었다. 부겐빌레아 꽃이 내가 알던 그 꽃이 아니라니, 사실을 안 날 나는 다소 당황했다. 그러고 보니 포엽에는 연하게 잎맥도 있고 흰빛 속에 은은한 푸른빛을 띠고 있었다.

지인 중 하나는 내가 식물을 기르는 것을 무척 신기해한다.

만나서 그 대화가 나왔을 때 지인은 얼마 전 해바라기를 선물 받았는데 그게 꽃이 아니라 화분이었다며 거의 울상을 지었다.

"화분이라도 두고 기르면 좋죠."

"아니, 죽으면 어떡하냐고요. 내가 죽이면."

나는 성의 있는 사람이라서 오히려 부담을 느끼는구나, 하고 이해했다. 생명이 있는 것을 건네받으면 아무래도 마음을 걸게 되는구나, 하고. 하지만 식물의 상태는 늘 예측할 수 없고 어느 집에서나 식물은 피고 진다. 어떻게 식물을 잘 기를 수 있어요? 하고 물으면 많은 그린 핑거스들은 일단 많이 죽여봐야 해요, 라는 냉철하지만 어쩐지 섬뜩한 답을 내놓는다.

그런데 생각해보면 거기에 식물 대신 무엇을 넣어도 우리가 납득할 만한 문장이 된다. 어떻게 글을 잘 쓸 수 있어요? 일단 많이 망쳐봐야 해요. 어떻게 인간관계를 잘할 수 있어요? 일단 싸우고 안 보기도 해봐야 해요. 그렇게 실패를 독려하는 문장들. 나 역시 실패야말로 이후의 갱신을 위해 어쩔 수 없이 거쳐나가야 하는 과정이라고 여기지만 그것을 받아들이기란 너무나 어렵다고 생각한다. 실패는 단선적인 성과의 누락이 아니라 알고 있던 세상의 입체적인 붕괴이니까. 그럴 때 우리는 대개 크게 상심하고 적어도 그 순간만은 생활 자체가 무너지도록 무섭게 앓는다.

부겐빌레아가 우리집에 온 것은 내가 첫 책을 내기도 전이었다. 지나서 돌아보니 결코 쉽지 않은 시기였다. 글을 쓰고 싶어도 지면이 없는 것, 그러니 자연히 회사원으로 일할 때보다 수입이 심각하게 줄어든 것. 오랜 꿈을 이루겠다며 적어도 겉으로는 호기롭게 사표를 냈지만 어려운 순간들이 일상을 잠식했다.

엄마가 항암을 마치고 나 역시 나의 현실로 돌아왔을 때도 이전과 달라진 건 없었다. 죽음과 싸우는 엄마를 돕기 위해 정신없이 흘려보낸 시간들 뒤에는 여전히 전과 다를 것 없는 나의 정체기가 있었다. 가족들에게 자주 화를 내고 사람들을 만나지 않게 된 것도 이 시기였다. 그러다 나는 휴대전화의 착신을 일 년 가까이 정지시켰고, 그래도 문자메시지는 송신된다는 말에 지금 생각하면 좀 잔인하게도 가족들의 번호를 하나하나 입력해 차단시켰다. 완전히 혼자가 된 것이다. 그건 그렇게 해서 사람들을 밀쳐내고 싶었다기보다는 그 정도로 나 자신을 용납할 수 없었다는 뜻일 것이다. 스스로를 보지 않기 위해 거울을 치운 셈이었고, 어쩌면 엄마가 암을 이겨냈기에 가능한 방황이었다.

그리고 어느 날, 일과 관련해 미팅을 다녀오다가 전철에서 스팸으로 걸러진 문자들을 확인했다. 보관함에는 숱한 광고 문자들과 함께 엄마의 문자들이 남아 있었다. 밥은 먹었니? 아픈 데는 없니? 하는 문장들. 이제 정말 글에 집중해야 한다고, 해야 할 일이 많아 연락이 안 된다고 못박아두었는데도 엄마는 답이 오지 않을 걸 알면서 문자로 내 안부를 묻고 있었다. 나는 아직까지도 왜 그때 안부 문자를 계속 보냈느냐고 엄마에게 묻지 못했다. 미안해서다.

아무리 흔들리더라도 그대로인 것들이 있다. 아무리 바람이 세게 불어도 가지를 크게 흔들었다가 다시 바로 서는 나무들처럼. 다행히 내 곁에 그렇게 남아준 사람들이 있다. 얼마나 큰 좌절에 빠져 있든, 얼마나 아프게 실패했든. 그렇게 선선히 있어주는 마음을 알아차리는 순간을 만나면 실패에 대한 감각 자체가 누그러지고, 새날을 향한 기대감이 찾아온다. 그리고 넘어질 일이 생기더라도, 기우뚱한 상태로도 그전보다는 삶의 무게를 더 잘 견딜 수 있게 된다. 중력을 이기고 서 있는 식물들처럼, 꽃이 아닌 잎이라도 뿌듯하게 밀어올려 찬탄을 만들어내고 마는 부겐빌레아들처럼.

파티는 녹록하게

이번 12월에는 연말다운 날들을 보내고 있다. 연작소설 『크리스마스 타일』을 냈고, 주말마다 성당에 가 미사를 드리며 사람들과 함께 성탄을 기다리고, 소박한 연말 파티 몇 개를 준비하고 있기 때문이다. 사람들을 자주 만나는 이 모든 과정이 최근 코로나19를 앓았기 때문에 가능하다는 것이 아이러니다. 몇 주 만에 재확진되는 경우도 있어 조심해야 하지만 당분간 나는 어쨌든 가장 안전한 사람이니까.

밖은 겨울이지만 집안에서는 난방을 하기 때문에 식물들은 대부분 별다른 변화 없이 자라던 대로 자란다. 동백은 꽃봉오리를 조금씩 더 두텁게 피워 올리며 겨울의 밀도를 높여가고 있고 발코니 구석에서 빛 조금, 바람 조금으로 살고 있던 남천도 줄기들을 소복이 올려 사 년 차 식물다운 고요한 기품을 지니게 됐다. 동네 꽃집에 진열되자마자 사 들고 온, 크리스마스 대표 식물 포인세티아도 겨울 분위기를 내며 자라고 있고 오늘 오후에는 크리스마스트리로 꾸밀 율마가 도착할 예정이다.

원래 크리스마스트리 장식을 하던 우리집 아라우카리아는 결국 상태가 나빠졌다. 새 가지도 나지 않고 기존 가지들은 이런저런 문제들이 생겨 잘라내야 했다. 그래도 크리스마스니까 잠깐은 괜찮겠지 하고 전구를 둘렀더니 남은 가지마저 부러지기 직전. 하는 수 없이 별과 사슴 오너먼트 같은 가벼운 장식만 남기고 다 떼어내야 했다. 요즘은 조화 트리도 예쁘게 잘 나오고 사실 살아 있는 것에다 무게를 더하느니 원래 장식의 목적으로 만들어진 제품을 꾸미는 편이 나은 점도 있지만 우리집 식물들 사이에서 조화 트리는 너무 도드라져 보일 것 같았다. 내 눈에는 근사하지만 사실 우리집 식물들은 제멋대로 자란 상태이니까. 그런 자유롭고 나름 개성적인 분위기 속에 마른 잎 하나 없는 조화 트리가 들어서면 식물들이 빛을 잃을 듯했다. 결국 새 식물을 들이기로 결심했다. 외국에도 수출돼 트리 나무로 각광받는다는 구상나무를 사고 싶었지만 가격이 만만치 않았다. 고민 끝에 나는 연둣빛 율마를 올해 크리스마스 나무로 선택했다.

지난 주말에는 친구네 가족과 송년 모임을 가졌다. 어른 넷과 씩씩한 어린이 한 명이 참석한 자리였다. 모처럼 어른들끼리 모일까 싶어 친구는 어린이에게 할머니 댁에 가서 시간을 보내면 어떻겠냐고 물었지만 어린이는 자기도 참석하고 싶다며 그 제안을 당당히 거절했다. 그날은 내가 물꽂이해 키운 베멜하를 친구 집에 드디어 가져가는 날이기도 했다. 포트로 옮겨 심은 뒤 한 달쯤 우리집에서 적응기를 거친 베멜하는 이제 내 손을 떠나 어린이가 있는 집에서 새 삶을 시작할 예정이었다. 실제로 만나는 건 처음이니까 잘 보이라고 반짝거리는 크리스마스 토퍼도 달고 에어캡으로 화분을 조심조심 포장했다. 키우던 식물을 내보내려니까 마음 한편이 살짝 아려왔다. 그렇다고 모든 걸 내 손에 다 쥐고 있을 수는 없었다. 그러다보면 어느새 그것은 내게 중요하지 않게 되어버리니까.

식당과 펍을 거치며 어른들과의 파티를 잘 이어가던 어린이는 이제 자기 집으로 가자고 제안했다. 날은 춥고 음식도 배불리 먹었으니까 이제 집으로 가서 편안히 있자고. 친구가 부담스러울까봐 괜찮다고 했는데 팔을 붙들고 "이모, 우리집에 가자, 가서 자고 가요" 하는 바람에 못 이기는 척 아파트까지 올라갔다. 친구네 집에서는 밤의 인천이 한눈에 내려다보였다.

"잎 색이 정말 예쁘다. 잘 키워볼게."

친구는 다행히 화분을 마음에 들어했다. 근데 이름이 뭐라고 했지? 하고 물어왔는데 갑자기 생각이 나지 않았고 나는 이렇게 기억력이 떨어진 건 다 코로나 탓이라고 한탄하며 인터넷에 검색해 겨우 전체 이름을 알려주었다. 감자튀김을 두 번이나 튀기고 와인을 쏟고 중간에 어린이가 자신의 영어 일기를 가져와 낭랑한 목소리로 읽어주는 동안 농담과 회한이 적절히 섞인 시간이 흘렀고 자정쯤 친구 집을 나섰다. 작은 떡갈고무나무 화분과 함께였다.

"이거 상태도 안 좋고 볼품이 없는데 괜찮겠어?"

친구가 주저하며 물었다. 산 지 얼마 안 된 떡갈고무나무가 벌써 시들시들하다는 자책을 듣고 내가 길러보겠다며 나선 것이었다. 물론 내게 그런 그린 핑거스의 자질이 있는가는 확실하지 않았다. 집안 식물들이 용케 잘 자라고 있지만 기억조차 못할 정도로 많은 식물들을 보낸 것도 사실이니까. 나라면 꼭 살릴 수 있다고 생각한 것도 아니었고 내게 그런 능력이 있다고 믿은 것도 아니었다. 다만 내가 건강하게 살려서 돌려줄 수 있다면 친구는 가드닝을 하다가 문제가 좀 생겨도 해결이 되는구나 할 테고, 슬프게도 살려놓지 못한다면 이런 실패는 누구에게나 흔하구나 하고 다시 확인하겠지. 어느 쪽을 봐도 나쁠 게 없는 일이었다.

식물을 통해 내가 얻은 가장 좋은 마음도 그런 안도였다. 우리와 가까운 곳에서 식물들이 피고 지는 숱한 반복을 하며 가르쳐주는 것은 뭐 그리 대단한 경탄이나 미적 수사들이 아니라 공기와 물, 빛으로 만들어낸 부드럽고 단순한 형태의 삶의 지속이었다. 그런 식물의 녹록綠綠함이 우리에게 지혜로서 머물기를, 녹록지 않은 순간에도 고개를 돌려 나무 한 그루, 잎 한 장에 시선을 맞출 수 있는 용기가 새해에는 마음속 포트에 늘 담겨 있기를 바랐다. 바로 그 전환의 용기야말로 식물이 우리에게 선사하는 빛나는 마음이라는 것을 한 해의 끝에서 나는 어느 때보다 기쁘게 깨닫고 있으니까.

4부

그런 나무가 되었다

봄의 귀환

요즘 발코니에서 오래 시간을 보내고 있다. 날이 따뜻해지기도 했고 새잎들이 얼굴을 보여주고 있기도 해서다. 겨우내 죽었다고 생각했던 자엽안개나무는 어느 날부터 새잎을 하나둘 내더니 급기야 꽃대까지 올렸다. 그때의 기쁨을 무엇에 비할까. 가을이 무르익기도 전에 잎이 다 마르고 응애의 습격까지 받았던 터라 사실 포기하고 있었다. 그런데 그런 나의 나약함을 일깨우듯 꽃과 잎을 틔우다니.

나는 그 귀여운 연녹색 잎을 조심스레 만져보았다. 이제 막 피어난 잎은 믿을 수 없게 연하고 기분좋은 물기를 머금고 있었다. 아직은 엽록소가 적어 충분한 에너지를 흡수하지 못하고 있지만 시간이 지나면, 바람을 통과하고 해를 쬐고 건조한 대기에 맞서다보면 잎은 더 튼튼해질 것이다. 색이 짙어지고 두께는 두터워지면서 더 또렷한 잎맥을 보여주게 되겠지. 봄이 가져온 근사한 소식이었다.

하지만 처음 본 자엽안개나무 꽃의 아름다움은 다소 애매했다. 가는 가지에 어딘가 애처로워 보일 정도로 가느다란 꽃자루가 났는데, 가까이 들여다보아야만 겨우 알 수 있는 보풀처럼 미미한 꽃잎들이 달려 있었다. 일 미터가 넘는 나무 크기를 고려하면 꽃이 차지하는 존재감은 희미했지만 그래도 기분 좋게 받아들였다. 한때 상태가 좋지 않아 죽었다고 생각하기도 했으니까. 이미 죽었을 거야, 소용없을 거야, 하면서도 나는 물 주기를 멈추지는 않았다. 기다리는 마음이 있어서였다. 말라죽었으리라는 판단이 이성의 영역이라면 기다림은 마음의 영역이니까. 그렇게 우리는 봄이 어김없이 오리라는 사실을 알면서도 끈질기게 봄을 기다린다.

잡지나 SNS 속 식물들은 말 그대로 그림 같은 아름다움을 보여주지만 실제로 식물을 길러보면 그렇지 않다는 걸 실감한다. 모두들 제멋대로 자라니까. 웃자라고 대책 없이 무성해지고 그냥 위로만 직진하고. 그런 문제들을 다 안고 있는 우리집 칼랑코에가 화려한 꽃을 활짝 피웠을 때 그래서 나는 당혹감을 느꼈다. 빛이 잘 들지 않는 진열대 선반 사이로 뻗어나가다 발코니 유리창에 기대 웃자라더니 어느 순간 일조량이 충족되자 어마어마한 꽃을 피운 것이었기 때문이다. 유리창이 없다면 줄기가 버틸 수 없을 정도의 무더기 꽃이었다. 내가 기르는 식물에 대해 이렇게 묘사하는 건 미안한 일이지만 솔직히 약간은 파리채 같았달까. 거기다 손가락처럼 분지된 꽃자루가 유리창에 찰싹 달라붙어 있으니 뭉크의 그림 속 형상들처럼 기이하게 뒤틀린 느낌이었다.

차라리 꽃대를 자를까도 생각했다. 그러면 뭔가 일반적인 형태로 다시 자라지 않을까. 가위를 들 일이 있을 때마다 앞에서 고민했지만 끝내 자르지는 못했다. 그렇게 망설이는 겨울을 보내며 나 역시 여러 번 생각의 겹을 벗었고, 그중에는 지나간 시절에 감정적 서사를 부여하지 않겠다는 결심도 있었다. 그건 잊는 것과는 다르고 동일한 감정적 반응을 하면서 그

상처에 계속 갇히는 것과도 달랐다. 더이상 나를 약자로 여겨 연민하지 않는 것, 위기를 맞아 뒤틀렸던 나를 이해하는 것, 내가 원하던 형태와 달랐다며 어느 시절을 다 부정하지는 않는 것이었다.

칼랑코에는 그저 자기가 가장 왕성하게 살아낼 수 있는 쪽으로 힘을 썼을 뿐이었다. 그렇게 생각하자 칼랑코에가 피운 그것은 가장 괜찮은 꽃처럼 느껴졌다.

어제는 다정큼나무의 마른 잎들을 손으로 다 떼내주었다. 진작 떨어져야 했을 마른 잎들이 자리를 차지해 새잎이 드문드문 나고 있었다. 이렇게 해주는 게 맞나 싶었지만 일단 톡 건드려 떨어뜨리기 시작하자 손길을 멈출 수 없었다. 흐린 창을 호스로 좌악 닦아내는 듯, 묵은 설거지를 반짝반짝하게 해내는 듯 후련함이 들었다.

발코니 식물들 발치에 소복하게 자란 괭이밥도 조금 뜯어주었다. 화분 속에 깊이 뿌리내려 다른 식물의 생장을 방해한다는 말도 있지만 적어도 내 발코니에서 괭이밥은 매우 어엿한 위상을 차지하고 있다. 괭이밥이 자리잡으면 확실히 식물들이 잘 자랐기 때문이다. 우연일 수 있지만 얼음 상태이던 올리브가 깨어난 것도 다정큼나무가 작년에 꽃을 잘 피운 것도 자엽안개나무가 잎을 낸 것도 모두 괭이밥이 자라면서부터였다. 실제로 괭이밥은 약재로도 쓰이고 해충 응애의 천적으로도 알려져 있다. 그러니 짐작이 아주 틀린 건 아닐 것이다. 물론 결과가 항상 좋지는 않았으니 각자의 발코니에 적용하는 데는 신중하길 바란다. 괭이밥과의 공생을 처음으로 시작했던 내티 트리는 이유가 어쨌든 고사했고 지금 그 토분은 괭이밥이 다 차지하고 말았으니 말이다.

고사리의 마른 잎들을 정리하는 것이 어제의 마지막 작업이었다. 그러고 나서 엉망이 된 발코니를 빗자루로 싹싹 쓸어내는데, 남천 화분에 작고 흰 애벌레가 꾸물거리는 것이 보였다. 떠낼 생각으로 얼른 모종삽을 가져왔는데 그새 흙으로 들어가 찾을 수 없었다. 정말 봄은 봄이구나 하는 생각이 들었다. 봄은 그냥 날씨나 풍경으로만 오는 것이 아니라 우리가 감당해야 하는 실제의 일들과 함께 오니까. 청소를 마치고 들어와 바로 인터넷에서 약제를 주문했다. 올해는 또 무슨 해충들이 속을 썩일까. 고온다습한 여름은 어떻게 무사히 통과할까. 익숙한 어려움들이 머릿속을 스쳐지나갔다. 그래도 새날이 왔다는 기분만은 여전했다. 그러한 환희는 마음 깊은 곳에서 조용히 번지는 자연스러운 기적이니까.

흰 잠

철쭉나무와 중형 코코야자를 사서 무사히 운반해왔다. 철쭉나무는 일산의 농원에서 들였는데, 일 미터가 조금 넘는 높이였다. 원래는 다른 나무를 사고 싶어 간 것이었는데 여의치 않았고 그 대신 흰 꽃을 풍성히 달고 있는 철쭉나무를 집사람이 마음에 들어해 들이기로 한 것이었다.

방문하기 전 들어가본 농원 블로그에는 이런 자신감 넘치는 안내가 쓰여 있었다. '매장 방문시 큰 나무들도 안전하게 실어드립니다. 일반 자가용에 이 미터짜리 나무들도 다 실립니다!' 자가용에 이 미터짜리 나무가 들어갈 수 있다는 건 상상이 잘

안 됐다. 아무리 생각해도 차창 밖으로 잎이나 가지가 혹은 둥치가 삐져나올 듯했다. 하지만 그런 풍경 역시 그리 나쁘게만 상상되지는 않았고, 옆 차로에서 창밖 풍경을 보고 있던 강아지들과 우연히 마주치는 순간처럼 유쾌하게 그려졌다.

농원 주인은 블로그 글처럼 활기찬 분이었다. 철쭉나무 가격을 물어보자 파는 건 아닌데 하다가 이만오천원을 불렀고 그러면서도 "얘가 어디가 빠져서 그 가격이 아니에요. 제가 오랫동안 다듬어 키운 녀석이에요!" 하고 강조했다. 철쭉나무는 수형이 숫자 8을 닮아 있었는데 자신이 손봐서 그처럼 만들었다고 했다. 주인이 철쭉나무를 판 건 자신이 미처 블로그에 '판매 완료'라고 알리지 못한 식물을 사기 위해 내가 먼 길을 왔기 때문인 듯했다.

그 철쭉나무가 우리집에 와서 보여준 장면은 그해 봄 발코니의 가장 아름다운 풍경이었다. 어느 밤, 분갈이를 하려고 철쭉 화분 속을 꽃삽으로 헤집다 거기서 고요히 자고 있는 굼벵이들을 발견했다. 처음에는 놀라서 소리를 질렀지만 정작 굼벵이들은 자신을 덮고 있던 두툼한 흙 이불이 들춰진 걸 인지조차 못하고 있었다. 몸을 말아 가만히 웅크리고 단꿈을 꾸고

있었다.

굼벵이를 실제로 본 건 그날이 처음이었다. 어둑한 발코니와 흰 꽃을 무성하게 단 철쭉, 그 철쭉의 발치에서 희고 희게 빛나는 굼벵이들. 나는 분갈이를 어떻게 계속해야 할지 갈등하기도 했지만 동시에 그 적요로운 풍경에 마음이 벅차오르고 있었다. 아직 기관의 분화가 시작되기 전 최소한의 형태만을 갖추고 철쭉나무 뿌리 부근에서 계속되고 있는 굼벵이들의 깊은 잠이, 그 시간들이, 내 일상에 봄밤의 환한 장막을 드리워준 기분이었다.

모든
넘어지는 것들은
기도를 한다

좀 아팠다. 원고 마감을 할 엄두가 나지 않아 스트레스를 받고 있던 와중에 속이 탈이 났고 사흘간 금식을 해야 할 정도로 증세가 심했다. 그러면서 생애 처음으로 한 일이 있는데 마감을 포기한 것이었다. 작가들은 종종 원고 펑크를 낸다. 도저히 쓸 수 없을 때, 이걸 발표하느니 차라리 불성실이나 신의 없음을 지탄받는 편이 낫다 싶을 때 원고를 보내지 못한다. 내 경우는 적어도 소설 발표와 관련해서는 그런 선택을 한 적이 없었으나 이번에 그렇게 하게 되었다. 그리고 다른 단편들도 연내에 쓰지 않겠다는 결심을 했다. 계절과 달이 바뀔 때마다 그 무렵 발표해야 할 작품들을 중심으로 생활의 사이클이 흘러온 내게는 일종의 결단이었다.

집사의 컨디션이 어떻든 집안 식물들은 자기만의 스케줄대로 삶을 꾸려나갔다. 지금 발코니로는 이상한 말이지만 조금 시든 식물만이 나갈 수 있다. 최적의 환경은 당장 어려움을 겪는 화분들의 차지이고 나머지는 만족스럽지 않은 빛과 공기에 적응하며 지내고 있다. 물을 열심히 주며 돌봐주고는 있지만 물도 성장이 원활할 때에나 필요한 것이다. 그렇게 식물들이 시들시들한 사이에도 욕심을 부려 상태가 좋지 않은 소코라코에 손을 대고 말았다. 뿌리를 잘 내게 해준다는 흙으로 분갈이를 시도했다가 오히려 화가 돼 노랗게 시들어버렸다. 과한 마음이 그나마 유지되고 있던 균형마저 깨뜨린다는 것. 여러 번 배우고도 아직 식물들이 보여주는 삶의 원칙을 제대로 익히지 못한 것 같다.

병원을 다니던 날들의 끝에는 식물 가게로 가드닝 수업을 받으러 가야 했다. 밥을 먹지 못해 컨디션이 나빴지만 예약금 때문에라도 가지 않을 수 없었다. 마침 근처에 와 있던 후배와 잠깐 차를 마시기로 했는데 상태가 좋지 않아 그런지 모처럼 밖으로 나와 그런지 대화를 따라가기가 영 힘들었다. 끼니가 이렇게 중요하다니, 나는 차도 넘길 수 없어서 생수를 한 병 시켜 몇 모금 마시며 그런 생각을 했다.

"원고도 다 못 쓰고, 이제 한동안은 소설을 못 쓸 것 같아. 힘이 모두 빠졌어."

"선배, 새로운 사람이 되려나봐요."

내 얘기를 들은 후배는 예상치 못한 말을 했다.

"그런가? 이러다 에라 모르겠다, 그렇게 되는 거 아냐?"

나는 그렇게 말하면서도 희미하게 웃고 있었고 후배는 "에이, 아니에요" 하고 손을 열심히 저었다.

후배와 작별하고 찾아간 식물 가게는 일반적인 가드닝 기술을 가르치는 곳이 아니라 식물을 마치 조형물처럼 다듬어 기르는 법을 알려주는 곳이었다. 원래는 꽃 작업을 주로 했다는 강사가 나를 맞았다. 강사와 나는 일단 분재용 흙에 동백나무를 옮겨 심고 그것을 좀 멀찍이 바라보면서 이 나무의 '빈 곳'을 어떻게 만들 것인가를 고민했다. 오늘의 가드닝 수업조차 만만하지가 않고 온통 정신을 집중해야 하는구나. 체력이 달리던 차라 낭패감이 들었지만 수업은 꽤 흥미로웠다.

"일단 나무를 보면서 어떤 방향으로 선을 내고 싶은지 큰 그림을 그리시고요, 차근차근 빈 곳을 내어 나무의 아름다움이 드러나게 하면 됩니다. 자, 어디를 가장 먼저 손대고 싶으세요?"

동백나무 앞에서 강사가 물었다.

"여기를 먼저 자르고 싶네요."

나는 가지와 잎들이 가장 조밀하게 '뭉쳐 있는' 부분을 가리켰다. 아름다움을 만들어내자면 거기가 제일 문제처럼 보였으니까.

"음, 그것도 좋지만 일단 다른 부분부터 해결해보면 어떨까요?"

강사는 그렇게 말하더니 다른 가지들을 가리켰다. 아니, 정답이 정해져 있었나 싶었는데, 이유는 수업의 마지막에야 알게 되었다. 지금 내가 동백나무를 보면서 느낀 이 아름다움, 그러니까 가지가 시원하게 뻗어나간 이 아름다움을 확실히 느끼기 위해서는 답답하게 뭉쳐 있는 바로 그 부분이 대비가 되어주어야 했기 때문이었다. 마치 밀도 높은 일상이 지나간 뒤 휴식이 더욱 특별해지듯이.

수업을 마치고 최근 내게 일어난 상황에 대해 다시 생각해 보았다. 한동안 작업을 못하게 된 것에 대해. 문득 내가 스스로 작업을 멈췄다는 것이 중요하지 않을까 싶었다. 내가 상황을 주도하는 한 그것은 중단이나 종료를 뜻하지 않으니까. 모든 넘어지는 것들은 다시 걷기를 바라며 기도하게 된다. 그러니 괜찮을 거라고, 나는 고심해서 여백을 만든 동백을 들고 집에 오면서 생각했다.

이 숱한
사랑의
서사

며칠 전, 그간 열심히 마감을 해온 나 자신에게 상을 주는 기분으로 일산의 화원에 갔다. 꽃 화분을 들일 생각이었다. 꽃봉오리를 단단하게 모았다가 꽃잎을 하나하나 펼치며 환하게 열어 보이는 과정을 지켜보고 싶었다. 식물 집사가 관상가觀賞家와 다른 점이 있다면 식물들이 펼치는 드라마에 참여하고 싶어한다는 것 아닐까. 우리는 결과의 확인자가 아니라 과정의 조력자가 되고 싶다. 그래서 매일같이 물시중을 들고 해충이 생기면 불같이 화를 내며 잎이 지면 그 쇠락에 대해 진지하게 고민한다. 나름 사랑의 서사를 펼쳐 보이고 있는 셈이다.

화원에 도착해 입구에 놓인 식물들부터 하나하나 살피며 안으로 들어갔다. 봄 마당에 심기 좋은 모종들이 나와 있었다. 사려고 벼르던 튤립이 보였고 다양한 야생화들도 놓여 있었다.

화원에 가면 초반에는 바구니를 들지 않는다. 사람과 식물은 많고 길은 좁아서 찬찬히 살피려면 짐이 없는 게 좋으니까. 그렇게 매장을 돌면서 집으로 데려갈 화분과 데려가고 싶지만 고민해봐야 하는 화분들의 목록을 짜기 시작한다. 그날은 프리지어 화분이 많이 나와 있었다. 진열대 근처만 가도 진한 향이 풍겼다. 나는 거실에 프리지어를 놓고 매일 그 달콤한 향을 맡는 상상을 했다. 아침에 일어나자마자 맡는 프리지어 향은 나쁜 꿈도 지워줄 것 같았다. 하지만 튤립을 사기로 했는데 꽃 화분을 또 들이는 게 맞을까. 차라리 매대 아래 와글와글 모여 명랑한 분위기로 꽃을 피우고 있는 숙근 이베리스가 낫지 않을까.

나는 식물들 사이를 오가며 신중하게 마음을 저울질했다. 무슨 식물을 얼마나 아름답다고 느끼는지, 무엇을 오랫동안 두고 돌보고 싶은지, 어느 외롭고 슬픈 날 무거워진 팔다리로 귀가했을 때 어느 식물이 새잎을 내밀며 반겨주었으면 하는지. 그런 '식쇼핑' 시간은 내 미래를 함께할 파트너를 찾는 과정 못지않았다.

"이 식물은 우리집에도 있지?"

집사람이 한 식물을 가리켰다. 자줏빛 잎에 마치 수채화 붓으로 그린 듯 아이보리색과 분홍색과 진녹색이 아름답게 어우러진 칼라테아 스트로만테 멀티컬러였다. 우리집 서재에도 같은 식물이 무성한 잎을 내며 자라고 있었다.

"맞아, 상수동에서 들인 애잖아."

그러다 우리의 시선은 가격표에 꽂혔다. 가격이 이만원이 넘었다. 내가 칼라테아를 산 건 이 년 전이었는데, 현대적 감수성이 물씬 나는 빈티지 토분까지 해서 사만원대에 들인 것으로 기억했다. 우리는 당장 계산을 했다. 서너 장에 이만원이면 지금 집에 있는 식물은 대체 얼마란 말인가.

칼라테아 스트로만테 멀티컬러는 순하게 자라는 식물이다. 잎을 돌돌 만 채로 올리다가 활짝 펼치는데 그 과정도 재밌고 물만 잘 주면 금방금방 잎을 낸다. 다만 건조에 약해서 약간의 투자를 따로 해야 했는데, 노지에서 쓰는 작은 비닐 온실을 사서 덮어주는 것이었다. 그것도 배송료까지 해서 지금의 칼라테아 시가로 계산하면 잎 한 장 반의 금액, 만원대였으니까 투자 대비 수익률이 높은 셈이었다. 이것이 바로 '식테크'라는 것인가 싶었다.

식테크는 말 그대로 식물로 하는 투자다. 요즘은 중고 거래 앱 등을 통해 일반인들도 식물을 많이 판매하는데, 그중에서도 몬스테라나 필로덴드론 변이종들은 고가로 팔린다. 색소 부족으로 잎이 희고 노란 변이를 띠게 되면 가격이 더 높아진다. 겨우 잎 한 장 낸 삽수나 유묘들이 수십에서 수백만원에 이르고 아이보리색과 녹색이 한 잎에 섞여 있는 몬스테라 아단소니 바리에가타는 대품의 경우 천만원까지 값이 나간다.

그에 비할 바는 아니지만 칼라테아가 이렇게 비싼 식물이었다니. 잎자루가 길고 형태가 갸름해서 새의 아름다운 깃털 같기도 한 칼라테아의 잎이 새삼 더 특별하게 느껴졌고, 집사람 앞에서 어깨가 좀 펴졌다.

물론 중고 시장에서 뭔가를 사고팔아본 경험도 없는 내가 화분을 시장에 내놓을 가능성은 거의 없었다. 하지만 식물은 계속 자라고 분명 감당할 수 없을 정도의 '잉여'가 발생할 것이었다. 가지를 빨리 뻗어나가는 우리집 베고니아들은 벌써 열 개 가까운 삽수들을 낳았다. 언젠가는 둘 공간이 없어지고 선택의 기로에 설 수밖에 없을 것이다.

하지만 화원에서 돌아온 뒤에도 칼라테아를 대하는 내 태도는 그다지 달라지지 않았다. 그저 흙이 마르면 물을 주었고, 분무까지 해주면 잎이 훨씬 말끔하게 유지되는 것을 알면서도 그렇게까지 챙기게 되지는 않았다. 하던 대로 돌보고 되는대로 아꼈다. 물론 이따금 비닐 온실을 들추고, 잎을 세 장씩 네 장씩 묶어 머릿속으로 값을 계산해보고는 흐뭇해하기는 했지만 말이다.

새집 생활

권여선 작가의 단편 「내 정원의 붉은 열매」에 화분에 관한 이야기가 나온다. 대학 동창인 현수와 '나'가 만나 만두를 먹으며 흙만 바꾸면 무엇이든 화분이 될 수 있다는 얘기를 나누는 것이다. 물이 빠지지 않아도 식물이 썩지 않는 흙이 있다면 구멍 없는 솥이나 냄비, 세숫대야, 심지어 만두도 '화분'의 역할을 할 수 있다. 만두는 동그랗게 소를 감싸는 모양이니까. 그렇다면 우리의 방도 거대한 화분일 수 있을 것이고, 결국 이야기는 과거의 어느 시절 한 세대의 청춘들을 길러냈던 난곡의 방들에 관한 회상으로 흘러간다. 이사를 하는 동안 나는 종종 이 소설에 대해 생각했다.

식물을 기르는 일이 어려운 건 작은 화분이 그 개체의 유일한 대지이기 때문일 것이다. 노지에서 자란다면 스스로의 노력으로 더 나은 환경으로 바꿔볼 수도 있다. 뿌리를 뻗고 뻗어 모자란 수분을 채울 수 있고 부족한 영양 역시 어떤 우연적 요인들로라도 해결될 가능성이 있다. 하지만 내 집에서 식물들은 내가 지정한 공간에서만 자랄 수 있다. 물을 많이 주는 날에는 썩을 수밖에 없고 물기 하나 없이 바싹 말라도 내가 물을 주기 전에는 변화가 일지 않는다. 우리가 식물들의 시듦에 자책하는 이유는 그것이 곧 나의 게으름과 무능력, 무관심을 증명하는 듯하기 때문일 것이다.

이삿날 날씨가 무척 좋았다. 평생을 산 인천을 떠나 서울로 오기로 결심한 이태 전의 이삿날에도 화창하게 맑아 엄마가 좋아했는데 내가 날씨 운은 있구나 싶어 마음이 나아졌다. 이사 전 유묘들이라도 따로 포장을 해두려고 했지만 결국 그럴 시간이 없었다. 짐 정리는 물론이고 빨래도 다 못한 상황에서 이삿날을 맞아야 했으니까. 쓰지도 않으면서 받아둔 물건들, 뭐가 들어 있는지도 모르겠는 창고의 박스들을 정리하는 데만도 허리가 나갈 지경이었다.

이사 준비는 결국 나 사는 모양을 돌아보는 시간이었다. 당장의 불편을 참지 못해 사들였던 각종 물건들이 끝도 없이 나왔고 그건 불안과 걱정이 많은 나 자신에 대해 다시 돌아보게 했다. 몇 년 전 친구들과 쿠바로 여행 갔을 때 모기 퇴치제를 일곱 통이나 가져갔던 일도 떠올랐다. 생필품을 구하기 어렵다고 들었기 때문이었는데, 그 밖에도 얼마나 많은 물건을 캐리어에 챙겼는지 여행에서 나는 '올○○○'이라는 드러그스토어 이름으로 불렸다. 그렇게 나의 낭비와 허영과 방만함을 탓하며 물건의 홍수 속에서 허우적대다 며칠이 흘렀다. 나라는 사람이 살기 위해 과연 이렇게나 많은 물건이 필요할까. 진을 빼며 하루를 보낸 끝에 그런 자괴감이 들 때면 발코니 식물들을 지켜봤다. 흙속에 조용히 발을 묻은 채 식물들은 평소와 다르지 않은 밤을 보내고 있었다.

사람에게도 다양한 형태의 집이 있듯 화분에도 많고 많은 종류가 있다. 흙, 플라스틱, 도자기, 시멘트, 유리 등. 처음 식물 집사가 되었을 때는 토분이 제일이지 하는 생각을 했다. 보기에도 좋지만 분 자체가 숨을 쉬어 뿌리에 좋다는 얘기를 들었기 때문이었다. 마트에서 손쉽게 살 수 있는 토분에서 시작해 점점 더 근사하고 비싼 토분들에 마음을 빼앗겼다. 급기야는 새벽부터 긴 줄을 서야 겨우 한정된 수량을 구입할 수 있는 브랜드 토분에도 관심을 갖기 시작했다.

하지만 시간이 지나자 토분이 항상 좋은 건 아니라는 생각이 들었다. 일단 무게가 만만치 않다. 우리집에는 선물로 들어온 드라세나 수르쿨로사가 있는데 일 미터 넘는 식물이 토분에 심어져 있다보니 이동이 어렵다. 발코니에서 물 샤워 한번 시켜주면 내 속까지 시원해지겠는데 들 수가 없으니 늘 아쉽다. 반면 비슷한 크기의 자엽안개나무는 플라스틱 포트에 심어져 있어서 실외까지도 내놓고 바람과 비를 맞힐 수 있다.

요즘 내가 주로 쓰는 화분은 슬릿분이다. 플라스틱 재질이기는 하지만 사방에 틈이 나 있어 바람이 잘 통하고, 뿌리가 화분 벽을 따라 엉켜 자라는 현상도 막아준다. 가격 또한 일이천원 정도로 저렴하다. 그렇게 해서 우리집에서는 식물들이 제각각 다른 집을 짓고 산다. 좀 비좁기도 하고 습하기도 하고 색도 낡아 있지만 그런 차이들에 아랑곳없이 뿌리를 내리고 적응을 해낸다. 차이는 결함이 아니라 그저 조건일 뿐이라는 사실을 식물들이 보여주는 것이다.

이사 당일, 다행히 좋은 이사 업체를 만나 순조롭게 짐을 옮길 수 있었다. 그러다 직원 한 분이 내게 혹시 글을 쓰는 작가냐고 물었다. 일단 여태껏 꺼내본 적 없는 운송용 박스들까지 다 동원해야 할 정도로 책이 많았고, 거기다 이삿짐 액자에서 '작가님께'라는 호칭을 보았다는 것이었다. 알고 보니 자녀분이 대학에서 문학을 전공한다고 했다. 어릴 때부터 글쓰기에 관심이 많아 큰 상을 받기도 했다고. 침 한번 묻히는 날에는 난리가 날 정도로 책을 소중히 다루고 좋아한다고. 나는 그 말을 내 어린 시절을 떠올리며 들었다. 새 학기마다 책을 받아오면 아빠도 항상 포장지로 한 권 한 권 표지를 싸주며 책을 중히 여기는 마음에 대해 알려주었으니까. 아빠의 그런 모습을 배운 나도 책이 상하지 않게 조심했었는데 언제부터인가 더 이상 그러지 않았다. 정작 책을 쓰는 사람이 되고부터. '꿈'이 '직업'이 된다는 건 어떤 마음들을 잃어버린다는 것이기도 했다. 어떻게 보면 그건 내가 뿌리내렸던 본래 지점들에 대한 실감이 옅어진다는 뜻이 아닐까.

오후가 되자 새집으로 이동한 사다리차를 타고 화분들이 연이어 올라왔다. 화분 정리를 맡은 직원분이 “아니, 식물이 계속 올라오네” 하며 당혹스러워했고 그의 동료가 “정신 챙겨, 멘붕 오면 안 된다” 하고 농담했다. 나는 그 옆에서 “그냥 거실에 두시면 제가 정리할게요”라고 했지만 직원분은 가능한 한 화분을 진열대에 옮겨주고 일을 마쳤다. 이삿날이면 빠질 수 없는 짜장면과 탕수육으로 하루를 마감하면서 나와 집사람은 앞으로 아무것도 사지 말자고 다짐했다. 나는 정말 그럴 생각이었다. 불필요한 물건들에 더이상 내 공간을 내어주고 싶지 않았다.

이삿날이 따뜻했는데도 상한 식물들이 있었다. 베고니아 이그조티카의 피해가 가장 컸다. 지친 식물들에게 물 한 번씩 주는 데만도 이틀이 걸렸다. 요리를 할 수 있게 전기레인지가 가동되기까지는 일주일이 필요했고, 들어갈 곳이 좁아 별도의 공사가 필요한 세탁기는 아직 설치도 못했다. 그렇게 시작된 새집 생활에서 그래도 제라늄과 브룬펠시아 재스민은 꽃을 보여주었다.

나와 식물들에게 마련된 이 환경, 새로운 삶이라는 이 거대한 화분은 어떤 내일을 펼쳐 보여줄까. 그런 생각을 하면 어쩐지 마음이 애틋해지고 아직 맞지도 않은 시간들에 대한 그리움이 든다. 「내 정원의 붉은 열매」의 '나'는 서로에 대한 '열정적' 오해 속에 결국 사이가 멀어진 사람들에 대해 "무엇인가가 완성되는 순간은 그것을 완전히 잃고, 잃었다는 것마저 완전히 잊고, 오랜 세월이 흐른 뒤 우연히 그 언저리를 헛짚는 순간"이라고 이야기한다. 그 슬픈 말이 사실이라 하더라도 적어도 지금은 봄, 모든 살아 있는 것들이 기다려온 봄이니까. 훗날 이 시절을 온전히 이해하게 되었을 때 숱한 착오들 속에서도 이 봄의 기운과 식물들만은 선명할 것이다.

그런 나무가 되었다

이상 기온으로 벚꽃이 이르게 피었다 지고 지금은 철쭉의 계절이다. 색감이 진해서 어딘가 잘 접은 색종이를 연상시키는 그 꽃들은 거리에도 아파트 단지 안에도 환하게 피어 있다. 처음 이 집을 보러 왔을 때 저층이라 망설이는 내게 부동산 사장은 봄이 되면 창밖의 나무들이 말도 못하게 푸르다고 설득했다.

"봄만 되어봐요, 아주 말도 못해요."

3월이 지나자 정말 나무들은 잎을 틔웠고 정신없이 지내는 사이 어느덧 작은 숲을 이루어놓고 있었다. 창으로 보이는 나무들은 그 자체로 위안이 된다. 괜찮다고 말해주는 듯하니까.

봄을 맞은 후 처음 눈에 들어온 나무는 버드나무다. 어른 둘이 팔을 벌려 안아야 할 만큼 둥치가 크고 아파트 사층만큼 높이 솟아 있기 때문이다. 아파트 앞에는 조성한 지 몇 해 되지 않은 작은 공원이 있는데, 그곳의 다른 나무들과는 비교가 안 될 정도로 버드나무의 존재감은 뚜렷했다. 오랜 세월 한자리에서 버틴 것이 갖는 묵직한 아우라가 있었다. 마침 공원 길이 그 버드나무에서 끊겼다 다시 이어지며 나 있어서 혹시 나무를 베어낼 수 없어서 길이 그렇게 생겼나 싶기도 했다. 이동하지 않는다는 점에서 나무들이야말로 한 장소의 오롯한 주인일지도 몰랐다.

어려서 나는 아파트 발코니로 나가 나무들을 내려다보는 것을 좋아했다. 열 살 때 처음 아파트로 옮겨가 한집에서 대학생이 될 때까지 살았는데 그동안 아파트 조경수들이 키를 키워 나중에는 오층인 우리집에서도 제법 가까이 느낄 정도가 되었다. 그 나무들에는 내 유년의 많은 순간이 담겨 있었다. 일단 병아리들. 요즘 아이들이 들으면 놀라겠지만 그때는 초등학교 교문 앞에서 병아리를 팔았다. 그 노랗고 포근해 보이는 작은 동물에 눈길을 주지 않고 지나가기란 어려운 일이었다. 아이들에게는 그런 친구가 늘 필요하니까.

특히 나는 동물을 무척이나 좋아했다. 누가 말린다고 말을 듣는 애도 아니었고 일단 데려오면 부모님도 키우는 데만은 동참했으므로 나는 병아리를 자주 사 들고 오곤 했다. 하지만 병아리들은 대개 짧게 머물다 내 곁을 떠났고 나는 엉엉 울면서 아파트 나무 아래 묻어주었다. 그 역시 지금이라면 가능하지 않은 일일 것이다.

요즘 유년 시절을 자주 생각하고 꿈도 꾼다. 어린 시절이 생생해진다고 말하자 어느 지인은 나이가 들면 들수록 인간은 원체험에 가까워진다고, 과학적으로도 근거가 있다고 했는데 정말 그런 건가 싶다. 하지만 내 나이가 그 정도의 인지 변화가 일어날 만큼 많은 나이인가, 뭔가 다른 이유가 있지 않을까 짚어보니 이사온 동네가 내가 어려서 살았던 곳과 닮아 있다는 생각이 들었다. 주변 건물이 대부분 90년대에 지은 아파트들이었던 것이다. 90년대식 아파트가 지닌 건축학적 특징이 있겠지만 내게는 별다른 장식재 없이 우직하게 쌓아올린 콘크리트 건물과 크고 우람한 나무들로 특정된다. 동네 아파트들도 다들 그렇게 터줏대감임이 분명한 커다란 나무들을 끼고 있었다.

우리집 앞에도 거실 창까지 가지를 뻗어올린 층층나무가 있다. 층층나무는 말 그대로 가지를 층층이 올린다고 해서 붙은 이름이다. 그렇게 보면 아파트에 아주 잘 어울리는 나무라 할 수도 있을 것 같다. 그 층층나무가 맨가지로 겨울을 통과하고 새 눈을 올리고 지금처럼 흰 꽃과 잎을 틔우기까지, 나무와 나는 서로의 상태를 가까이에서 지켜보았다. 시야에 살짝살짝 들어올 만큼 가지를 뻗어 나무는 내 시선을 끌었고, 창으로 다가가 내려다보면 바람에 흔들리는 잎들의 물결에 아득해지곤 했다.

발코니에서 가드닝을 하다보면 외부의 식물과 내부의 식물이 맞닿아 있다는 사실이 새삼스러울 때가 있다. 대체로는 발코니 식물들에게 약간의 미안한 마음이 든다. 유리창 하나를 사이에 두었을 뿐이지만 안팎의 환경조건은 매우 다르기 때문이다. 빛이나 통풍, 물 공급에 있어 내부가 더 어려운 환경이다.

우리집에서 진정한 '노지 생활'을 경험한 식물은 자엽안개나무 하나로 겨울을 이전 집 외부 발코니에서 지낸 적이 있다. 잎이 다 떨어져 앙상할 때는 얼어죽은 것이 아닐까 싶었지만 봄이 오자 눈부시게 되살아났다. 추운 곳에서 버티면서 건강하게 봄을 지나고 여름을 견딜 에너지를 축적해온 것이다. 마치 사람들이 어려운 시기를 통과하면서 단단해지듯이.

며칠 전 작가 선배와 동료와 대화할 일이 있었는데 학교에서 아이들이 입을 수 있을 상처에 관한 얘기가 나왔다. 동료에게는 어린이집을 다니는 아이가 있고 선배는 자녀들이 다 자라 독립을 한 상황이었다. 얘기를 듣다보니 나 역시 유년을 통과하던 시절에 겪은 상처 하나가 생각나 이야기를 꺼냈다. 좀 엉뚱하지만 이순신 장군 동상에 관한 것이었다. 학교에 동상을 세우기 위해 임원을 맡고 있는 아이들 학부모끼리 돈을 걷었는데 우리 부모는 낼 수 없는 금액이었다. 그러자 다른 학부모들이 엄마가 일하고 있던 마트까지 찾아와 돈 내라고 다그쳤다는 이야기. 이후 학교 행사에서 내가 맡았어야 할 역할에서 제외되는 일까지 있었는데 엄마는 그때 그 돈을 내지 못해서 그랬으리라고 지금까지 분해하곤 했다. 누구에게도 해본 적 없는 얘기라서 집에 와서도 이상한 감정에 휩싸였다. 약간은 후련하기도 하고 우려스럽기도 하고 어딘가 마음이 풀리면서도 무거워지는. 그건 아마 상처를 '시인'했기 때문이리라는 생각이 들었다.

눈으로만 지켜보던 주변 아파트 단지들을 산책하기로 한 건 그 이튿날이었다. 어떤 아파트는 같은 일층이라도 나무를 다 전정하기도 하고 그러지 않기도 했다. 가지가 다 잘려나간 나무에도 어떻든 잎들이 솟아 있어서 웃음이 났다. 어떻게 해도 말릴 수 없는 나무의 에너지가 미덥고 좋아서. 그런가 하면 바로 옆 라인인데도 나무를 그대로 둔 경우도 있었다. 관리사무소에서 선별적으로 가지치기를 해주었을 리는 없고 아마 집주인의 선택이었을 것이다. 외부로부터 집 안쪽을 나무가 어느 정도 가려준다는 현실적인 이유였을 수도 있고, 낭만적인 생각이지만 그 나무가 정말 좋았을 수도 있겠지. 나는 그 집에는 누가 사는지 조금 궁금했다.

집으로 돌아갈 때는 또다른 아파트 단지를 통과하게 됐는데 그곳은 내가 유년 시절 살았던 곳처럼 언덕을 꽤 올라가야 했다. 헉헉대며 꼭대기에 올라 모퉁이를 도는 순간 나도 모르게 아, 하고 경탄했다. 초등학교 담장 너머로 등나무 꽃이 쏟아질 듯 피어 봄을 밝히고 있었기 때문이었다.

그날 선배가 한 얘기 중 가장 마음에 남았던 것은 '아이들은 아이들 나름대로 다 힘이 있다'는 말이었다. 그러니 어른들이 뭔가를 더 하기 위해 부러 애쓰지 않고 기다려도 된다고. 그 말을 떠올리면 내가 왜 유년의 아픈 기억을 그 자리에서 털어놓았는지 짐작이 간다. 동의 받을 수 있으리라는 믿음이 들었던 것 같다. 발코니로 나가 내려다보면 늘 그 자리에서 나를 올려다보던 나무들에게서 받았던 것과 같은, 내가 울며 세세히 말하지 않아도 마음으로 전해지던 그 선선한 동의 말이다. 초등학교를 다니던 내가 스무 살이 될 때까지 매 계절을 함께 앓았던 그 시절의 나무들은 이제 없다. 내가 그곳을 떠나와서가 아니라 동네를 밀고 신도시가 들어섰기 때문이다. 그때 그 나무들은 모두 어디로 갔을까.

발코니의 자엽안개나무는 어쩌면 앞으로 겨울 추위를 겪지 않을지도 모른다. 내가 마당이 있는 곳으로 이사가기 전까지는 가능하지 않겠지. 그렇다 하더라도 부디 자엽안개나무가 추위가 몰려왔을 때의 그 차가운 밤공기, 성장을 멈추고 숨죽이고 있을 때의 그 위축감, 그리고 다시 봄이 와서 마음껏 생장할 때의 눈부신 활력 모두를 오래오래 에너지원으로 썼으면 좋겠다. 아마도 가능할 것이다. 각자에게는 각자의 힘이 있는 법이니까. 이제 그 사실을 당연하게 여기는, 이 봄에 나는 그런 사람이 되었다.

가능한 한
이팝나무에
가깝게

음식을 잘못 먹었는지 심하게 체했다. 주말 동안 해야 할 일이 많았고 집안 행사도 있었는데 하지도 가지도 못했다. 위장병을 오래 앓은 사람들은 곧 닥쳐올 복통의 기미를 잘 알아챈다. 나도 상비약 몇 가지를 먹고 몸을 따뜻하게 하고 손가락을 (스스로) 따고 당장 금식을 했지만 어림없었다. 몸을 서서히 점령하는 경련과 통증을 그대로 느낄 수밖에 없었다.

몸이 아프면 마음이 약해져서 온갖 못난 생각을 하게 마련이고 이번에도 그랬다. 나는 문제가 생길 수 있다는 걸 알면서도 매번 기름지고 자극적인 음식을 먹고야 마는 나 자신을 탓

했다. 해야 할 일들이 많은데, 하나가 잘못되면 도미노처럼 와르르 무너지고 마는 일정인데 왜 컨디션 조절을 못했을까. 하지만 스스로를 비난하고 있다는 걸 자각하고 이내 멈췄다. 몇 년간 내가 마음의 문제에 있어 노력했던 건 바로 그런 내면의 목소리를 지우는 것이었다.

그렇게 시간을 보내는 동안에도 눈부신 5월은 와 있었다. 아프기 전 나가본 공원에도 나무들이 이미 무성한 잎을 내고 있었다. 꽃가루가 한낮의 공기 중을 떠다니고 수변의 나무들이 한껏 기울어 수면에 닿을 듯 말 듯 나뭇가지를 늘어뜨린 그곳에서, 나는 혼자 나간 산책길이 꿈결처럼 아름답다고 생각했다. 매번 되풀이되는 이 아름다움은 어떤 힘의 결과일까. 종교가 없는—최근에는 세례성사를 받았다—나조차도 만약 창조자가 없다면 대체 무엇이 이런 질서를 가능케 하는가 하는 질문 앞에서는 할말이 없어진다.

우리집 드라세나 수르쿨로사는 지난달부터 새로운 자기 계획을 실천중이다. 바로 높이를 경신하는 것. 드라세나는 대나무처럼 생긴 줄기를 쭉 뻗어올리는데 봄부터 새순이 올라오더니 그대로 천장을 향해 솟구쳤다. 집에 온 후로 삼 년 동안 한

결같은 높이를 유지했던 터라 변화가 더 극적으로 느껴졌다.

"재 좀 봐. 이상하게 갑자기 저만큼 커버렸네."

나는 가족들이 집에 오면 그렇게 한탄했지만 사실 속마음은 달랐다. "와, 정말 높이 자라네" 같은 반응을 듣고 싶었던 거였다. 내가 앓는 사이 그 식물은 자기가 원하는 높이까지 올라간 다음, 이쯤이면 됐다 싶었는지 상승을 멈추고 잎 낼 준비를 했다. 옆에 서보니 내 키보다 약간 높았다. 그러면 일 미터 칠십 센티미터에 달하는 높이였다. 삼 년 동안 에너지를 응축해 놓았다가 됐다 싶었을 때 줄기를 최대로 뻗어올린 것이다.

식물들의 계획에는 머뭇거림이 없는 듯 느껴진다. 어느 날 결심하고 실행해 원하는 선까지 밀어붙이고 멈춘다. 나는 그런 드라세나 수르쿨로사를 경애의 눈길로 올려다보다가 깨달았다. 그것이 올해는 꽃을 피우지 않았다는 사실을. 드라세나는 말로는 다 전할 수 없을 만큼 매우 독특하고 기하학적인 형태의 꽃을 피운다. 왕관 같기도 하고 우주의 어느 행성 같기도 한 하얗고 섬세한 꽃이다. 올해는 꽃을 내며 봄을 자축하기보다 화려하지 않더라도 공중으로 더 올라가보기를 선택한 것일까.

겨우 자리를 털고 일어나 밥을 먹은 날, 내 방 창밖을 보니 이팝나무가 꽃을 피우고 있었다. 꽃잎 하나하나가 밥알처럼 소복하게 가지 위에 얹어져 있었다. 아파트 저층에 사는 것의 가장 큰 이점은 나무를 가까이에서 볼 수 있다는 점 아닐까. 지난해에도 바람에 출렁이는 이팝나무 가지를 보며 원고를 썼었다는 데 생각이 미쳤다. 그리고 그즈음에 무려 삼 일을 굶어야 할 만큼 속병을 앓았었다는 데에도.

사실 누구에게나 며칠 앓는 일은 주기적으로 일어나는 흔한 사이클일 것이다. 그런데도 그 일이 심상하게 넘어가지지 않는 것은 내가 고유하게 가지고 있는 마음의 형태 때문일 것이다. 오랜 기간 심리 상담을 받으며 마음에 대해 절박하게 생각해야 했던 나는 이제 그런 마음의 형태 자체는 달라지지 않는다는 생각을 한다. 불안은 불안대로 남고 자기 비난의 충동과 두려움도 그것대로 남는다.

하지만 그러한 감정이 바람 불면 물결이 일듯 일어나는 것과, 그 속으로 풍덩 빠져 헤어나올 수 없게 돼버리는 것은 분명 다르다. 물론 나쁜 상태는 한번 일어나면 거부할 수 없이 우리를 포박하려 들지만 거기에서 빠져나올 수 있는 마음의 힘 또한 노력할수록 강해지는 것도 사실이다. 그 노력의 방법 중 하나가 자연과 최대한 가까이 있는 것이라고 생각한다. 식물은 자기 상태에 대한 미움이나 비난이 없다. 그리고 마음은 본래 그런 식물의 형태이지 지금 나를 옥죄어오는 이 나쁜 형태가 아니다. 어쩌면 그 사실을 한번 더 환기하기 위해 지금 앓고 있는지도 모르겠다.

내일도
여여하다

유칼립투스를 좋아한다. 허브 계열로 고대 이집트에서도 향료로 사용했을 만큼 살균 효과가 높고 향이 좋은 식물이다. '유칼립투스ευκάλυπτος'라는 그리스어 자체에 '아름답게 뒤덮인다'라는 뜻이 있을 만큼 기품 있고 섬세한 녹색의 아름다운 잎을 수북이 낸다. 하지만 아이러니하게도 내가 가장 많이 죽인 식물도 유칼립투스다. 물을 많이 주어도, 물 주는 타이밍을 잠깐 놓쳐도 어느샌가 손쓸 수 없는 상태가 된다. 그러면 포기할 만도 한데 또 그 하늘하늘하고 푸른 모습을 잊을 수 없어 재도전을 하는 것이다.

지금 우리집에 있는 유칼립투스 폴리안은 유칼립투스 전문 농장에서 사왔다. 유칼립투스는 호주가 원산지라서 건조한 환경과 강한 햇빛이 필요한데 농장에서는 화분들을 철판으로 된 지붕에 올려 기르고 있었다. 야외에서 힘들게 자란 식물이 목대가 튼튼하고 잎도 두껍다고 했다. 그렇게 들이게 된 유칼립투스는 정말 겨울도 잘 넘기고 잘 자라주었다. 그런데 언젠가부터 잎이 좀 마른다 싶더니 얼마 전 보니 잎들이 딱딱하게 굳어 있었다. 가지를 뒤덮은 흰 곰팡이가 그제야 눈에 들어왔다.

그래도 살릴 수 있지 않을까. 식물을 기르고 실패하는 과정을 거듭하면서 얻은 자세 중 하나는 자포자기와 일종의 정신승리가 뒤섞인 마음으로 내일의 운명을 기대해보는 것이다. 식물은 저마다의 힘이 있어서 죽은 듯싶다가도 다시 살아나고 꽃을 피우며 잘 지내는가 싶다가도 상태가 급격히 나빠질 수 있으니까. 그러니 일희일비할 것 없다는 뜻이 아니라, 일희일비하며 채워나가는 것이 발코니의 시간이라는 말이다.

나는 유칼립투스의 잎들을 남김없이 떼어냈다. 바스락거리며 잎들이 떨어져내릴 때마다 마음이 좋지 않았다. 그리고 물에 소량의 마요네즈를 섞어 가지를 닦아주었다. 흙에도 곰팡이가 있지 않을까 싶어 약도 뿌려주었다. 잎이 하나도 없는 유칼립투스는 앙상했고 완전히 고사한 것처럼 보였다. 그런 식물을 보고 있으면 순간 닫혀버린 문을 마주하는 기분이다. 아무리 두드려도 식물 스스로 열어주지 않는다면 우리의 다음 날들이란 없는 것이니까. 그런데 보름쯤 지났을까, 유칼립투스는 기적처럼 새잎들을 내기 시작했다.

요즘은 워커홀릭인 나 자신과 씨름하다시피 하며 시간을 보낸다. 작업을 하지 않으면 불안하고 항상 이룰 수 없는 목표를 잡아놓고는 그것을 성취하기 위해 스스로를 채찍질하는 상태에서 벗어나기 위해 애쓰고 있다. 언젠가 후배에게 언니, 아마 올 한 해 언니가 이 지구상에서 가장 글을 많이 쓴 사람일 거예요, 하는 말을 들은 적이 있다. 그때는 웃어넘겼지만 생각해보니 그렇게 넘길 일이 아니었다.

그래서 요즘은 일을 줄이기 시작했는데, 문제는 그러고 있다는 사실을 내가 자꾸 강조해서 말하고 다닌다는 점이다. 최근 누군가를 만날 때마다 이제 일을 줄였다고 밝혔는데 어느 날, 한 친구가 "넌 아직 쉬는 걸 시작하지도 않았어"라고 일깨웠다. 그러고 보니 할일이 아예 없는 날은 사실상 없었다. 그런데 왜 나는 자꾸 쉬고 있다고 강조했던 것일까. 친구는 일을 줄이는 것이 영 불안한가봐, 하고 걱정했다.

"쉬고 있다는 사실조차 의식하지 못할 때까지 너는 정말 쉬어야겠다."

그렇게 해서 책 읽는 시간이 늘어난 것은 가장 기분좋은 변화다. 나이가 들면서 욕심이 많아진 것인지 아니면 마음이 급한 것인지 여러 권의 책을 동시에 읽을 때가 많다. 지금 읽는 책들도 소설에서 정신분석에 관한 책을 거쳐 식물에 관한 것까지 다양하다. 하지만 일관된 것도 있다. 책을 읽는 자리에 언제나 식물들이 있다는 점이다. 거실에 앉아 있으면 손이 닿는 곳에 브룬펠시아 재스민이 있어서 그 잎을 만지작거리며 읽게 된다. 책장을 넘길 때 느껴지는 종이의 질감. 전자책에 익숙해지지 않는 이유는 다양하겠지만 무엇보다 촉감 때문이 아닐까. 손가락으로 전해지는 그 얇은 펄프의 느낌을 전자책은 구현할 수 없으니까. 책을 읽다가 무심코 손을 뻗어 만져보는 식물의 잎은 폭신하고 촉촉하고 살아 있는 것 특유의 생기가 있다. 한때 식물이었던 것과 지금 식물로 존재하고 있는 것, 그 두 세계를 누리는 호사로움이 책 읽는 시간에 있다.

지금 읽고 있는 식물 책은 수 스튜어트 스미스의 『정원의 쓸모』로, 식물을 가꾸는 마음에 대해 기록한 책이다. 영국의 낭만주의 시인 워즈워스의 시를 사랑하고 프로이트를 연구한 저자의 이야기를 듣다보면 식물을 기르면서 느꼈던 마음의 움직임에 대해 더 전문적으로 알 수 있다. 여러 흥미로운 지점들이 많은데, 예를 들면 이런 대목이다.

책에 따르면 식물은 어린 시절 제대로 돌봄을 받지 못했던 누군가가 돌봄의 형식을 배워갈 수 있는 대상이다. 단순히 애정을 쏟을 수 있는 상대이기 때문이 아니라 "식물은 빠르게 반응하지 않으며, 우리가 인지할 수 있는 방식으로 움츠리거나 웃거나 고통을 느끼지 않"기 때문에 적당하다. 어려서 제대로 된 관계 형성을 하지 못한 누군가는 상대가 약할 경우 폭력성을 드러낼 수도 있지만 식물은 인간의 그런 잔혹성을 충족시키지 않는 대상이다. 그러니 "안전하게" "분노, 애통, 좌절을 승화시키거나 창조적으로 표출"할 수 있다. "흙을 파고 가지를 치고 잡초를 뽑는" "파괴를 통해 성장을 북돋는 돌봄의 형태"를 식물을 통해 실천할 수 있는 것이다.

저자는 교도소 수감자들을 대상으로 한 원예 수업의 중요성에 대해 강조하다가 사실 현대인의 일조량, 곧 외부 활동의 양을 따져보면 교도소에 수감된 이들과 크게 다르지 않다고 지적한다. 그러니까 우리는 사실 이 거대한 도시에 갇힌 수감자들이며, 적절한 파괴와 돌봄, 성장의 드라마, 그것을 통해 얻는 승화를 의도적으로 도모해야 하는 존재들이다. 나는 책을 읽으며 여기에 완전히 동의했다.

언젠가 친구가 아이가 자꾸 꽃을 꺾고 싶어한다며 고민을 털어놓은 적이 있다. 그때마다 혼을 내는데도 또다시 길을 가다가 풀을 뜯고 꽃을 망가뜨려놓는다고. 나는 그걸 너무 제지하지는 말라고 이야기했다.

"일부러 가지를 쳐주기도 하는데 뭘. 사실 식물들에게 그런 손상은 자연스러운 일이기도 해."

나는 식물이 그 자체로 보호받는 것도 필요한 일이지만 그것을 뜯거나 꺾어 놀잇감으로 삼으려는 아이의 마음도 중요하다고 생각한다. 도시는 식물을 풍경의 오브제로 삼곤 하지만 본래 식물은 그런 것이 아니니까. 만지고 뜯고 냄새 맡고 먹는 것이니까. 만약 식물에게서 매번 고통을 상상한다면 식물을 기르는 방식은 매우 왜곡될 것이다. 잎을 떨어뜨리거나 가지를 휘거나 적절한 시기가 되면 꽃을 말려 떨어뜨리는 식물의 행태는 식물의 방식대로 읽을 때 비로소 본질에 맞는 자연적 행위가 된다. 가드닝을 하며 식물과 나는 생존의 드라마를 함께 겪지만 그것은 인간인 내가 구성한 것일 뿐 사실 거기서 발생하는 상념들은 식물 자체와는 무관하다. 그 무관함, 발코니에서의 날들이 계속되면서 나는 내가 배워야 하는 것이 바로 그 무관함이라는 생각을 한다.

주말에는 오랜만에 가평을 갔다. 서울에서 그리 멀지 않은 거리인데도 거기에는 아주 여여한 자연이 펼쳐져 있었다. 수목원에 들러 시간을 보내고 숙소 근처 하천에 한참을 앉아 있었다. 그러다 나는 집사람에게 "이제 마음에 대해 그만 생각할까 해"라고 말했다.

"왜?"

이유는 알 수 없었다. 마음이란 내가 쓴 소설의 제목에도 들어갈 만큼 중요한 주제였고 몇 해에 걸쳐 심리 상담을 받았을

만큼 내 인생에서도 절박한 문제였으니까. 나는 방금 한 말이 어딘가 부족한 것 같았고 "아니, 이제 마음에 대해 말하는 것을 그만할까 해"라고 정정했다. 그러고 나서야 이 계절 내게 찾아든 변화가 더 정확히 표현된 것 같았다. 그건 더이상 마음이 중요하지 않다는 뜻이 아니라 오히려 더 힘을 갖춰 마음을 정확히 들여다보고 싶다는 의미라는 걸. 상처의 기억과 트라우마라는 좁디좁은 상자 안에 들어가 있는 내 삶을 꺼내주고 싶다는 뜻이라는 걸. 그러니까 때로는 고통 없이 마음과 삶을 돌아보고 싶다는 바람이라는 걸. 하지만 그 설명은 하지 않았고 우리의 화제는 어린 시절 가족 여행으로 넘어갔다. 집사람은 냇가에 앉아 있으니 가족, 친지들과 다녔던 여행들이 떠오른다고 했다. 딱 이런 모양의 하천에 가곤 했는데, 막상 가면 어른들은 땡볕이 종일 떨어지는 냇가에 애들을 풀어놓은 뒤로는 관심을 가지지 않았다고.

나는 어른 중심의 여행이 어렸던 그에게 무척이나 피곤하고 어떻게 보면 벌을 서는 기분이었겠다고 동의하면서도 마음 한편이 어두워지는 것을 느꼈다. 내게는 그런 가족 여행의 기억이 거의 없기 때문이었다. 그래서 늘 하듯 내게 없는 그것, 그

결락에 대해 말하려다가 멈추고 "저건 백로인가?" 하고 물었다. 하천 상류에 새 한 마리가 정물처럼 서서 우리를 건너보고 있었다. "왜가리인가?" 맞은편 절벽에는 나무들이 경사를 붙들고 자라나 있었다. 개체 하나하나를 헤아릴 수 없이 깊고 깊은 숲이었다. 나무들을 그렇게 보고 있자니 말은 멈춰졌고 그 순간 나는 새로운 기대를 품게 되었다.

부록

식물 군상

핑크 고스트

흰 몸체가 은은한 파스텔톤으로 물든 모습의 선인장으로 실제로 보면 근사한 오브제 같은 아름다움에 정신을 차릴 수가 없을 것이다. 대리석으로 만든 작은 조각상을 곁에 둔 느낌이랄까. 하지만 선인장류가 그렇듯 무름병이 생길 수 있으니 물 주기에 유의해야 하고, 햇빛이 부족해지면 그토록 특별하게 느껴졌던 무늬들이 사라질 수도 있다. 그러면 우리는 자정을 넘겨버린 신데렐라처럼 슬퍼질 수도 있겠지. 살아 있는 존재들에게 햇빛이 얼마나 중요한가를 식물의 무늬들이 일깨운다. 그러니 핑크 고스트는 창가로, 그리고 우리는 거리나 공원으로 나가 하루 한 번쯤은 꼭 태양 아래 있기로.

산세비에리아

이 식물의 잎을 보면 소품은 단도처럼, 대품은 날 선 검처럼 생겼다는 생각이 든다. 이 날카로운 잎 모양 때문에 영어권에서는 '시어머니의 혀mother-in-law's tongue'라는 별칭으로도 불린다고 한다. 어린 시절부터 우리집에 있었던 개체를 지켜본 결과 수십 년도 거뜬히 살아서, 내게 산세비에리아는 주변 환경을 장악해 연년세세 위세를 떨치는 군주, 화분 빼곡히 줄기를 올리며 집안에 무시무시하게 맑은 공기(공기정화식물로 유명하다)를 뿜어내는 공기 정화 특수부대처럼 느껴진다. 특별한 관리를 해주지 않아도 잘 자라지만 동물들이 먹게 될 경우 위험하다고 하니 조심해야 한다.

고사리류

고사리는 아주 아득한 시절을 환기하게 하는 식물이다. 고생대부터 서식해 현재까지 약 일만 종의 고사리가 우리와 함께하고 있다 하니 그 시간의 조각을 한 점쯤 아니 들일 수가 없다. 고사리를 기르면서 가장 신비로운 순간은 마치 주먹을 쥐듯 잎을 말아쥔 새순이 올라올 때다. 길러보면 축축한 화분 흙을 헤치고 올라오는 음표처럼 귀여운 어린 고사리의 모습에 푹 빠지게 될 것이다. 더피

고사리는 작고 동그란 잎들이 빽빽하게 자라며 마치 원시림의 덤불 한 줄기를 만져보는 듯한 느낌을 준다. 아디안툼은 살랑거리는 여린 잎을 가지고 있어서 더 몽환적이다. 하지만 고사리류는 기르기가 그리 쉽지는 않다. 물을 자주 줘야 하고 음지식물이라고는 하지만 적정한 빛을 쬐어주지 않으면 잘 자라지 않는다.

브룬펠시아 재스민

이웃 아파트에 장이 서서 구경을 갔다가 반해버린 식물이다. 크기가 커서 혼자 들고 가기 어려워 망설이다 장바구니 캐리어에 담아 낑낑거리며 끌고 온 기억이 선하다. 이 친구는 말 그대로 봄의 전령이다. 4월이 되면 보라색 꽃을 틔우는데 향이 진해서 눈보다는 코로 개화를 더 잘 알게 된다. 브룬펠시아 재스민의 꽃잎은 피는 그 순간부터 지기까지 일관되게 아름답다. 보라색 꽃잎이 피었다가 시간이 지나면 색이 점점 빠져 마침내 흰 꽃이 되는데, 그 과정을 보고 있으면 공중으로 보랏빛이 흩어지고 있다고 상상하게 되고 그렇게 집안 어딘가에 남아 있을 꽃색의 자취를 생각해보게 된다. 다만 이 식물은 물을 자주 줘야 하는 편이다. 물이 부족하면 줄기가 완전히 축 처지는데 그러기 전에 얼른얼른 발치에 물을 부어주어야 한다. 이쯤 되면 식물은 화분 흙이 단단해질 정도로 땅속 수분을 빨아들이게 되는데, 그러면 물을 주어도 골고루 스며들지 않기 때문이다. 나를 부지런히 움직이게 하는 식물이다.

고무나무류

우리집에는 크기가 다른 세 종류의 고무나무가 있다. 벵갈고무나무는 일 미터 이십 센티미터 정도 되는 개체로 내 책상 바로 옆에서 마감을 감시하고 있고 멜라니고무나무는 창가에 놓여 있는데 삼 년 차인데도 스무 장 남짓의 잎이 났을 뿐이다. 성장이 왕성한 편이라고 백과사전에 나와 있는데 이상하게 우리집 멜라니는 삶을 천천히 여유 있게 즐기는 편. 잎장을 늘리는 것보다 느긋하게 공기와 바람과 물을 즐길 줄 아는 진정한 '식물객'이랄까. 친구네 집에서 이사온 떡갈고무나무는 기른 지 얼마 되지 않았음에도 부드러운 곡선으로 된 튼튼한 잎에 마음을 빼앗겼다. 새잎 중에는 빨간 반점이 나는 것들도 있는데 나처럼 벌레인 줄 알고 깜짝 놀라지 말 것. 사람으로 치면 여드름처럼 어렸을 때 생겨났다가 어른 잎이 되면 사라진다고 한다.

몬스테라 델리시오사

몬스테라는 플랜테리어를 대표하는 식물로 종류가 많고 무엇보다 깜짝 놀랄 정도로 잘 자란다. 우리집 몬스테라 델리시오사는 위협감이 들 정도로 계속해서 넝쿨을 만들어내다가 가위질을 당하기도 했는데, 그러고 나서는 멋지게 찢어진 잎이 나오지 않고 있다. 식물이 안정되고 성숙해야 변형된 형태의 잎을 낸다고 하니 혹시 나와 같은 고민을 하는 사람들은 찬찬히 기다려볼 것. 처음 식물을 기를 때 힘있고 이국적이고 무엇보다 무신경하게 길러도 웬만해서는 죽지 않는 몬스테라에 빠져서 몬스테라 아단소니까지 기르게 됐는데 생장력에 관해서만은 걱정할 게 없었다. 식물 초심자들에게 권하고 싶지만, 들이기 전에 충분한 공간이 필요하다는 점을 아주 진지하게 고려하기 바란다.

필로덴드론 플로리다 고스트

이 식물의 노란 새잎을 동경하다 드디어 들이고 기뻐했는데, 삼 년이 지난 지금 나는 경이와 우려가 뒤섞인 조마조마한 마음으로 지켜보고 있다. 팔을 쫙쫙 뻗듯 잎을 내면서 공중을 향해 올라가는데 한번 전지를 했음에도 굉장한 속도로 높고 넓게 성장해 집 안에서 독보적인 존재감을 획득했기 때문이다. 일 미터가 훌쩍 넘는 대품으로 키우고 나서 보니, 이 식물은 어느 면에서 곤충을 닮았다는 생각이 든다. 붉고 기다란 잎자루에는 오돌오돌 털이 나 있고 마치 꿀처

럼 끈끈한 액이 맺혀 있다. 분홍 잎집은 늘 머리를 들듯 빛이 들어오는 쪽을 향하고, 어느 순간 큰 잎이 날개처럼 좍 펼쳐진다. 물을 주러 갈 때마다 헉, 하는 행복한(?) 탄식이 나오게 하는 '필로'가 눈치보지 않고 잘 자랄 수 있도록 공간을 확보하는 것이 요즈음의 가장 큰 고민이다.

무륜주

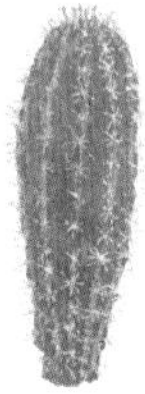

세상에 아름다운 선인장 많다지만 무륜주만한 것이 또 있을까. 은녹색의 아름다운 몸체와 등줄기에 촘촘하게 박힌 노란 가시가 근사하게 어우러져 별이 쏟아질 듯 빛나는 어느 사막의 고요한 밤 풍경을 연상시키기 때문이다. 우리집에는 개업 선물로나 주고받을 성싶은 큰 무륜주가 있는데, 다른 식물에 비해 해줘야 하는 게 없다시피 한데도 신경은 바싹 쓰인다. 몸통의 둘레가 줄어들면 물을 주고 빵빵하게 차올라 있으면 절대 물을 주면 안 되기 때문이다. 이상한 말이지만 이렇게 큰 선인장이 죽기라도 하면 어디에 버려야 하는지도 난감하다. 무륜주를 기르면서 가장 재미있었던 점은 성장할 때 뚜껑이 열리듯 머리 부분이 갑자기 솟아오르면서 자란다는 것. 결국 완전한 원통형이던 몸체의 균형은 깨져버렸지만 그날 처음으로 나는 무륜주에게서 어떤 말을 들은 것 같았다. 내내 침묵하던 누군가가 덤덤하게 들려준 어떤 첫인사 같은 것을.

필로덴드론 멜라노크리숨

내가 처음 들인 이른바 '희귀식물'. 벨벳 질감의 멋진 잎을 내는 이 식물은 그러나 우리집에서는 늘 걱정거리다. 어느덧 이 년 넘게 길렀지만 아직도 웃자란 잎과 줄기를 낸 채 고투하고 있기 때문이다. 도와주려고도 해봤지만 비료를 주어도, 상태가 안 좋은 부분을 잘라도, 햇빛 받는 위치를 바꿔도 큰 효과는 없었다. 하지만 그래서 더 추억이 쌓여가는 면도 있다. 나는 조심스레 시도하고 식물은 반응한다. 도와주고 싶은 마음이 전달되면 새잎을 내거나 조금 더 잎 크기를 키우는 방식으로 응답하기도 한다. 발화량이 많지 않아도 마음만은 진심이라는 점에서 이 식물과 말 그대로 희귀하고 특별한 대화를 나누고 있다고 위안하곤 한다.

베루코숨 멜라노크리숨 하이브리드종

그린 핑거스로서의 내 자긍심을 한껏 높여주고 있는 필로덴드론의 교배종. 이 넝쿨성 식물은 씩씩하고 담대하며 거칠 것 없이 잎을 늘려간다. 물꽂이를 해서 개체수를 늘려놓았는데 바라보고 있으면 선물해주고 싶은 사람이 하나둘씩 떠오른다. 기르기가 까다롭고 어렵다면 선물할 엄두가 나지 않았을 것이다. 하지만 물만 정기적으로 주고 여유가 더 있어 분무기로 습도만 맞춰준다면, 더 욕심내어 작은 온실을 만들어

씌워준다면, 보송보송한 질감에 햇빛이 비치면 그윽한 녹빛을 드러내는 이 멋진 식물과 함께 내내 행복할 수 있다. 그렇게 다정한 친구들의 집에서 살고 있을 '베멜하'들을 상상할 수 있다면 식물에게서 받을 수 있는 가장 큰 충족감을 얻은 셈이겠다.

피시본

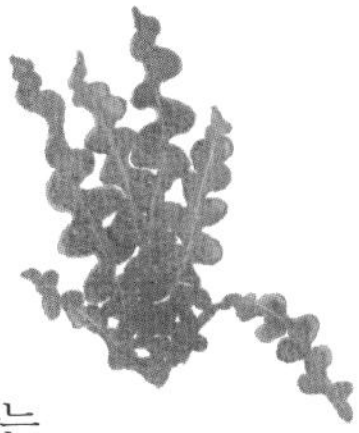

말 그대로 생선 가시 모양으로 자라는 선인장. 하지만 다른 선인장과 달리 가시가 없고 매끈해서 마치 통통한 관엽식물 같다. 우리집 피시본은 내 팔 길이만한 크기로 행잉 화분에 심겨서 왔는데 무서운 기세로 자라 새순을 내더니 두 팔을 한껏 벌린 형태가 되었다. 새순은 곧은 줄기 사이사이에서 뻗어나와 자라는데 그때그때 잘라 번식시켜주지 않으면 우리집 피시본처럼 줄기가 중구난방으로 뻗어나가게 된다. 선인장이지만 물을 많이 필요로 하고 겨울에는 꼭 실내로 들여놔야 한다. 여름에 보여준 씩씩함을 믿고 지난겨울 발코니에 잠시 두는 바람에 위기를 맞은 우리집 피시본은 지금 발코니 창을 통해 들어오는 햇빛 속에 잠겨 회복중이다.

유포르비아 티루칼리

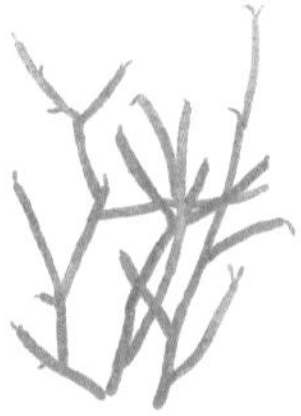

연필 모양으로 생긴 길쭉한 줄기를 위로 키워나가는 식물. '파티오라'라는 별칭을 가지고 있다. 원래는 아프리카에 자생하는 식물이라고 한다. 마디가 진 막대기처럼 곧은 줄기가 여러 각도로 꺾여 나서 키우다보면 마치 하나의 조형물을 만드는 듯한 느낌을 준다. 수수깡 같은 것으로 방학 숙제를 해가던 시절처럼. 우리집 유포르비아 티루칼리는 이제 수십 개의 마디를 키워 오른편으로 솟구친 멋진 모양을 하고 있다. 빛이 이끌고 물과 흙이 밀어올린 섬세한 줄기들을 조용하게 뻗어내며 마치 발레 동작을 취하듯 창가를 향해 서 있다. 햇빛을 많이 받으면 붉은빛이 나지만 애석하게도 우리집에서는 새순의 연녹색을 즐기는 것으로 만족해야 한다. 줄기를 잘라 흙에 심거나 물꽂이를 하는데 이때 흘러나오는 유백색 수액은 독성이 있으므로 조심해야 한다.

유칼립투스 폴리안

종종 어떤 것에 내가 표현하고 싶은 모든 세계가 들어 있다고 느낄 때가 있다. 유칼립투스도 그런 식물이다. 내가 만약 잎이라면 이런 부드러운 유분기를 품고 싶고, 겹치거나 넝쿨을 만들지 않고 이렇듯 가지런하게 연엽선蓮葉扇 모양의 잎을 한 장 한 장 내고 싶다. 쓰고 시큼하고 습습하고 휘발성이 느껴지는 향도 사랑할 수밖에 없고, 바람이 불면 잎들이 마치 모빌처럼 시시각각 변하는 율동감도 빠져들 수밖에 없는 이유가 된다. 실내에서 기르기 어려운 식물이라 자주 실패하면서도 내 발코니에는 언제나 유칼립투스가 자리하고 있다. 누군가에게는 꽃다발을 만들 때 쓰는 배경 재료이고, 코알라에게는 맛있는 주식이지만 나 같은 사람에게 이 식물은 어떤 지향이 된다. 아침에 일어나 발코니 문을 열어 마주쳤을 때 매번 이 식물을 보는 기쁨, 감동, 경탄을 말이나 글로 설명하고 싶다는 지향. 그런 희망과 열망 속에 수돗물을 트는 순간들을 유칼립투스가 만들어주고 있다.

동백

동백은 겨울에 피는 가장 잘 알려진 꽃일 것이다. 세상일에 모두 이유를 찾을 수 없겠지만 그 좋은 계절들을 두고 왜 겨울을 개화 시기로 선택했을까 궁금해진다. 그러다 동백이 새들을 매개로 수분을 하는 '조매화'라는 사실을 알게 되었고 어쩌면 겨울 추위에 만물이 시든 날, 그 어려움을 뚫고 꽃을 피우기로 한 건 번식에 아주 유리한 선택일 수도 있겠다는 생각이 들었다. 먹이 활동이 어려운 겨울에 동백이 가지고 있는 다량의 꿀은 새들에게 환영받을 테니까. 그렇게 동백과 함께 겨울을 나는 대표적인 새가 동박새다. 동백꽃은 향기가 나지 않는데, 이 또한 새를 불러들이는 데 향이 중요하지 않기 때문이라고 한다. 가장 좋아하는 꽃이 동백이라서 제주에 가면 동백으로 유명한 식물원을 매번 가곤 한다. 우리집 발코니에도 동백나무가 자라고 있다. 키우면서 동백은 둥근 꽃 모양과 기와 무늬처럼 단정한 꽃잎의 선도 예쁘지만 새로 나는 잎들도 만만치 않게 멋지다는 사실을 알게 되었다. 성숙한 동백 잎은 충분히 가라앉은 녹색이고 갓 나온 동백 잎은 케이크를 장식하는 나뭇잎 모양 칩처럼 생생한 연둣빛이다. 단아하고 고아한 식물인 줄로만 알았던 동백은 그렇게 지혜롭고 자기 질서에 따라 철마다 멋진 면모들을 자랑하는, 역시 가장 사랑할 만한 꽃이었다.

다정큼나무

지금은 잘 그러지 않지만 한때는 이름만으로도 그 식물을 갖고 싶다는 욕심이 생기곤 했다. 다정큼나무가 그렇게 해서 데려온 식물이다. 우리집 환경과 잘 맞는지 생각해보지도 않고 호기심과 열망만으로 겁없이 식물들을 발코니로 초대하던 시절이었다. 다정함이란 친절함과는 어떻게 다를까. 친절함이 고개를 숙여 인사하는 것이라면 다정함이란 고개를 약간 기울여 서로의 어깨에 대보는 것이 아닐까. 정말 이 나무의 잎과 꽃들은 가지 끝에 옹기종기 모여 최대한 가까이 붙어 있다. 잎은 둥글고 5월이면 희고 조그마한 꽃들이 피는데 매화와 닮았다고 한다. 앞 문장을 인용하는 듯 전하는 이유는 우리집 다정큼나무는 아직 성장중인 작은 나무라서 마치 솜털처럼 작은 꽃이 달리기 때문이다. 매화와 정말 닮았는지 들여다봐도 잘 알 수가 없다. 하지만 그런 소박한 모습이 이름과는 더욱 잘 어울린다.

괭이밥

처음에 이 식물이 어떻게 해서 우리집에 오게 되었는지는 잘 모르겠다. 종종 알 수 없는 경로로 식물들이 갑자기 화분에 자리잡고 자라곤 하는데, 괭이밥도 그중 하나였을 것이다. 클로버인 줄 알고 SNS에 올렸다가 친절한 분의 제보로 제대로 된 이름을 알게 되었다. 고양이가 소화가 잘 되지 않을 때 먹는 풀이라서 이런 이름이 지어졌다고 하는데, 정말 고양이가 소화제로 이용하는지는 확인할 수 없지만 예부터 약재나 식용으로 쓴 것은 확실해 보인다. 비타민C가 많고 염증을 다스리는 다양한 성분이 들어 있다고 한다. 우리집 발코니 식물들은 대체로 발치에 괭이밥을 두고 있다. 잡초라서 뽑아야 한다는 말도 있지만 내 경험상 상태가 좋지 않던 식물들도 이 친구와 함께 있으면 되살아나곤 했기 때문에 그냥 두고 있다. 신기한 건 실내 화분에는 자라지 않는다는 것. 옮겨 심으려고도 해봤지만 성공한 적은 없었다. 창밖에서 스스로 흘러들어온 괭이밥은 여전히 실외를 한 면으로 둔 발코니에서만 자라며 광량에 따라 잎을 접었다 폈다 하고 있다. 마치 꼬리를 이쪽저쪽으로 저어보는 고양이처럼, 창밖의 풍경을 관찰하는 명랑한 괭이들처럼.

피쿠스 움벨라타

첫 식물로 뭘 들이면 좋을까요, 라는 질문을 받으면 언제나 이 식물을 추천한다. 낯선 이름이라 머뭇거리던 사람들도 공기 정화 능력이 뛰어나 '산소 탱크'라고 불린다고 이야기하면 금세 관심을 보인다. 사람들에게 추천하는 이유 중엔 물 주기가 쉽다는 점도 있다. 물이 부족하면 잎이 처지면서 신호를 보내기 때문에 걱정할 필요가 없고 물때를 놓쳤더라도 바로 상태가 나빠지지 않고 견뎌준다. 우리집에 온 지 이제 삼 년쯤 된 피쿠스 움벨라타는 키가 많이 자랐다. 위로 곧게 자라면서 넓고 잎맥이 또렷하고 바람이 불면 팔랑팔랑거리는 시원한 잎을 만들어냈다. 내 방에 서식하는 다른 식물들이 대체로 '앉아 있는' 모양새라면 이 식물만은 위로 죽 뻗어 활달하게 서 있는 모습이라서 책상에서 작업을 하다가도 자주 바라보게 된다. 창문을 열어두면 마치 코끼리의 나풀거리는 귀처럼 순차적으로 바람을 타는 잎들에 한동안 빠져 있게 된다.

제라늄류

우리집에서 일 년 내내 꽃을 보여주는 핀토 화이트 투 로즈 제라늄. 아마 이 친구가 없었다면 식물을 이렇게 꾸준히 기르지 못했을지도 모르겠다. 제라늄은 '제라 지옥'이라는 말이 있을 정도로 한번 빠져들면 그 무궁무진한 개체 각각의 아름다움에서 빠져나올 수가 없다는데, 다행인지 불행인지 우리집에서는 이 제라늄만 완벽에 가까운 성장세를 보여주어서 제라늄에 대한 건전하고 평균적인 관심만을 유지할 수가 있었다. 이 친구는 세상에 저절로 되는 일은 없고 산다는 건 괴로움의 연속이며 무언가를 얻는 데는 늘 대가가 필요하다는 나의 염세적인 생각을 흩어뜨리는 묘한 힘을 가졌다. 화분이 가벼워졌을 때 물만 제대로 주면 아래로 숙였던 꽃대를 들어올려 와글와글한 꽃봉오리를 보여준다. 때로는 애드벌룬을 띄우듯 한 꽃대에 수북한 꽃망울을 터뜨리고 때로는 작은 모자를 쓰듯 여러 꽃대에 소박한 꽃망울을 만들어낸다. 그렇게 해서 쉽게 냉랭해지고 외길을 타고 마는 마음을 다독이는 환하고 따뜻한 식물이다.

필란투스 미라빌리스

내 발코니의 유일한 괴근식물 필란투스 미라빌리스는 우리와 기후가 전혀 다른 태국, 라오스, 미안마 둥지가 산지이다. 고구마 형태의 덩어리 뿌리에서 적갈색이 도는 줄기와 잎들이 난다. 잎이 적갈색을 띠는 건 오래된 것처럼 속여 곤충들이 관심을 갖지 않게 하려는 의도라고 한다. 산의 절벽에서 사는 야생 식물임에도 요즘 들어 플랜테리어에 자주 쓰이는데 이런 희귀식물을 사고파는 데는 늘 윤리적 문제가 발생하게 된다. 한번 유행이 시작되면 자생지에 살던 식물들이 마구 채취돼 수출되는 일이 생기기 때문이다. 때론 암시장을 만들어내기도 한다고 한다. 이곳이 아닌 다른 어딘가를 상상하게 하는 특이하고 특별한 모습 때문에 괴근식물은 여전히 내 관심을 끌지만, 해가 지면 잎을 잘 접어 밤을 준비하는 필란투스 미라빌리스 하나로 만족하며 그 흥미를 더이상 키우지는 않고 있다. 식물을 기르다보면 자연히 그 유통 경로라든가 시장 상황에 대해서도 조심스레 살피게 되는 것 같다.

미스김라일락

식물에는 일단 학명이 있고 유통명이 있고 사람들이 알기 쉽게 붙인 별칭이 또 생겨난다. 그래서 한 식물을 가리키는 여러 가지 이름들이 생기기 마련인데, 이 식물은 시링가 푸베센스 서브스피시즈. 파툴라 미스 김Syringa pubescens subsp. patula 'Miss Kim'이라는 긴 학명에서도 알 수 있듯 이름 자체에 '미스 김'이 들어간다. 우리 토종 식물인 수수꽃다리가 미국으로 건너가 품종개량된 것으로, 처음 채취해간 미국인 식물 채집가가 이름을 지을 때 사무실 직원의 성을 붙였다고 알려져 있다. 적어도 내게 미스김라일락은 아주 천천히 자라는 식물이다. 발코니에서 다른 식물들은 봄의 기척이 오는 3월만 해도 벌써 새순을 준비하거나 조용한 활기를 띠기 시작하는데, 이 식물은 겨울을 나기 위해 잎들을 다 떨어뜨리고 앙상한 가지만 남은 모습 그대로 별 변화가 없다. 그래서 봄이면 나는 혹시 죽은 걸까, 하며 마음을 쓰다가 봄이 충분히 무르익고 리드미컬한 곡선이 있는 잎이 나기 시작해서야 안심을 하게 된다. 타이피스트의 이름에서 왔다는 이 '미스 김'은 계절의 변화를 타박타박 정확히 기록하듯 천천히 봄을 건너간다. 그러다 마침내 5월이 되면 연보라색 작은 꽃잎들을 터뜨려 진한 향으로 발코니 가득 봄을 증명해낸다.

베고니아 마쿨라타

전 세계에 이천여 종이 있다는 베고니아의 세계는 '누구나 머릿속에 각자가 생각하는 저마다의 베고니아 하나쯤은 있다'라는 말로 요약될 수 있지 않을까. 몇 년 전까지만 해도 내게 베고니아는 빨강 노랑의 꽃을 피우는 연한 줄기의 식물이었다. 하지만 자라면서 줄기와 가지가 목질화되는 목베고니아종을 기르면서 이제 내게 베고니아는 좀더 야생적이고 힘있는 식물로 각인되었다. 우리집 목베고니아인 베고니아 마쿨라타, 베고니아 코랄리나, 엔젤 윙 베고니아는 공통적으로 잎 모양이 세로로 길고 흰 원형 무늬를 지니고 있다. 얼핏 식물의 것이라고 느껴지지 않을 만큼 광택도, 모양도 색다르다. 베고니아 마쿨라타와 엔젤 윙 베고니아는 잎 뒷면마저 붉은색이라서 마치 어느 카펫에서 나온 조각 천 같다는 생각을 하게 된다. 좀 특별해 보이는 터라 기르기 어려울 것 같지만 별달리 신경쓰지 않아도 쑥쑥 잘 자란다. 언젠가 나무가 될 모습을 꿈꾸면서, 그러면 그 잎으로 완성될 야성적 퀼트 무늬들을 그려보는 것도 내가 목베고니아들을 보며 자주 하는 상상이다.

필레아 페페

중국이 원산지이고 원래 이름은 '필레아 페페로미오이데스Pilea Peperomioides'다. 동글동글한 잎들을 단 모양이 특징인데, 이런 잎 모양을 비유하는 다양한 표현들이 재미있다. 누군가는 동전이라고도 하고 팬케이크라고도 하고 심지어 UFO와 비슷하다고 설명하기도 한다. 내 경우에는 연잎을 떠올렸다. 왜인지 아직도 필레아 페페를 보고 있으면 습한 기운이 연상된다. 우리집 필레아 페페는 이제 사 년 차쯤이 되어 줄기가 완전히 목질화되었다. 곁가지를 낸 채 옆으로 휘어서 지지대로 받쳐주었는데, 지금의 성장세를 온전히 감당할 수 있을지 고민이다. 본체 모습과 똑같이 생긴 자구를 만들어내는 것도 너무나 귀여운데, 그럴 때마다 분리해서 가족들에게 분양해주기도 했다. 이렇게 다른 사람과 나누어 줄 수 있어서 '우정 식물'이라고 불리기도 한다니, 필레아 페페만큼 듬직하고 은혜로운 식물도 없을 것이다.

올리브

올리브만큼 쓰임새 많은 식물이 있을까. 얼마 전 가톨릭에서 쓰는 성유도 올리브유와 발삼을 섞어서 만든다는 사실을 알고 신의 은총과 덕을 상징하는 중요한 식물이라는 생각을 했다. 그러고 보니 내가 처음으로 산 묵주도 올리브나무로 만든 것이었다. 내 발코니에서 이런저런 걱정을 들으며 자라고 있던 올리브가 사실 인간을 축복하고 보호하는 영적 식물인 셈이다. 내가 기르는 올리브는 잎도 작고 가지도 길게 뻗지 않아서 아직은 그리 멋지다고 할 수는 없다. 하지만 한동안 가만히 뭔가를 기다리듯 얼어 있던 상태에서 벗어나 자기 나름의 속도로 잎도 내고 몸체도 키우고 있는 중이다. 앞으로 오래오래 함께해서 의젓한 나무가 되는 모습을 볼 수 있을까? 크레타섬에는 세계에서 가장 오래된 올리브나무가 있는데 수령이 삼천 년이 넘었다고 한다. 고대부터 올리브나무의 여린 가지를 꺾어 올림픽 월계관을 만들어 왔고 크레타섬의 이 나무가 활용되기도 했다. 그렇게 생각하면 자연이라는 큰 세계 앞에 한없이 겸손해지는 기분이 든다. 내 발코니의 올리브에게도. 신이 선택한 귀하고 귀한 식물이니까.

마오리 코로키아

유행에 민감한 사람들이라면 한 번쯤 키워봤을 마오리 코로키아는 뉴질랜드가 원산지이다. 그리고 내게는 '포기'라는 걸 가르쳐준 식물이다. 욕심껏 시도해도 안 되는 식물은 안 된다는 것을 알기까지 몇 번이나 코로키아를 들이고 숲별로 보냈다. 마치 세필로 그은 듯한 얇디얇은 가지, 쌀알처럼 작은 잎 그리고 은색, 녹색의 개성 있는 잎 색. 누구나 관심을 보일 만큼 세련된 모양새이지만 물 주기가 너무나 까다롭다. 과습으로 죽은 건지 건조해서 죽은 건지 알 수 없을 정도로 어느 날 보면 말라 있고 이내 우르르 잎이 떨어져 내린다. 하지만 얼마 전 마오리 코로키아가 사실은 밖에서 찬 바람을 쐬며 자라야 한다는 사실을 알게 되었다. 무려 영하 십 도까지 월동이 가능하다는 것을. 어쩌면 너무 실내에 두어서 나쁜 결과를 얻은 것이 아닐까. 아직은 아니라고 부인하고 있지만 나는 좀더 늘어난 그간의 가드닝 기량으로 다시 한번 코로키아 기르기를 시도해볼 수 있지 않을까 은근히 기대하고 있다.

알로카시아

식물 집사가 된 지 얼마 안 됐을 때 내게 기쁨과 경탄을 주었던 식물이다. 카페나 사무실에 자주 보이는 대표적인 실내 식물이기도 하다. 둥근 구근으로 된 몸체에서 잎을 한 장 한 장 꺼내는데 그렇게 해서 건강하게 쑥쑥 자라는 알로카시아에게서는 시원한 활기가 느껴진다. 순하게 자란다고 생각해왔는데, 어느 날 우리집 알로카시아는 무름병에 걸렸다. 썩은 부분을 잘라내고 다시 심자 살아나는 듯했으나 지금은 안타깝게도 숲별로 가고 말았다. 아무래도 줄기를 잘못 관리한 게 아닐까 생각하고 있다. 줄기를 자를 때 바싹바싹 잘랐더니 나중에는 새 줄기가 아주 힘없이 올라오곤 했다. 원래는 손바닥 반 길이만큼 남겨두고 잘라 나머지는 자연적으로 말라 떨어지게 해야 한다고 한다. 얼마 전 알로카시아를 다시 들였다. 잎을 한두 장 내고 있는데 처음보다는 그리 신기하지도 자주 들여다보지도 않지만 그래도 이제야 내 발코니 같다는 생각은 든다. 필수적으로 발코니에 있어야 할 일종의 '기본 식물'이 누구에게나 하나쯤은 있는 것이다.

멕시코 소철

식물들이 공간을 북적북적하게 차지하면서 이제 나는 유묘들에 관심을 갖기 시작했다. 성장의 결과물이 아니라 과정을 즐기는 진정한 식물 집사가 되었다고 할까. 유묘는 천천히 크는 모든 순간을 지켜볼 수 있어서 좋고 옆 식물과 자리싸움을 하지 않아서 좋다. 그리고 아이 시절을 거쳐 마침내 훤칠하게 키를 높일 때면 개화의 순간을 보는 것 못지않게 기분이 환해진다. 화원에서 데려온 멕시코 소철은 잎 두 장이 나 있는 유묘였다. 가격도 이천원 정도여서 한번 키워볼까 하며 별다른 기대 없이 집어왔다. 그런데 길러보니 너무나 귀여운 식물이었다. 톱니 모양이 있는 나름 두꺼운 잎을 내는데, 새순이 날 때는 그 잎들이 합장한 손처럼 완전히 포개져서 나오게 된다. 어찌나 깜찍한지 그 순간을 기다리게 될 정도다. 하지만 우리집 멕시코 소철이 소철다운 모습을 갖추는 데는 아주 오랜 시간이 걸릴 것 같다. 아직 제대로 된 구근마저 없는 완전히 걸음마 단계이기 때문이다. 하지만 이대로만 자라준다면 어느 날 나는 의젓한 멕시코 소철 아래에서 이제는 찾아볼 수 없는 어린 시절의 잎들을 떠올리고 있겠지. 그렇게 오랫동안 서로를 지켜보며 정다워질 수 있다면 기다릴 가치는 충분한 것 같다.

알로에

책상용 화분이라며 정말 손톱만한 화분에 식물을 심어 파는 경우가 있다. 자리를 덜 차지하고 아기자기한 소품 같은 느낌을 주는 상품들이다. 나 역시 그런 식물들을 사거나 선물 받아봤지만 대체로는 오래 못 가 죽어버리기 일쑤였다. 정말 소비재로 만들어진 화분이었던 것처럼. 그런데 알로에만은 달랐다. 집사람이 회사 사무실에서 가져온 것을 창가 화분 진열대에 두었더니 그 좁은 화분에서도 열심히 자라기 시작했다. 점점 관심을 끌어 물을 주며 챙겼더니 통통한 꽃게 발 같은 줄기를 올려댔고 안 되겠어서 분갈이를 해주자 심지어 새 자구를 내기도 했다. 원래 '그런 용도'로 쓰고 마는 식물이라는 건 없다는 사실을 그때 배웠다. 알로에는 포기 나누기를 해서 하나는 가족에게 보내고 하나는 우리집에 남겼다. 알로에가 가장 예쁠 때는 햇빛을 받아 연녹색으로 빛날 때다. 그때는 연한 가시마저도 근사한 노란빛이 된다. 그래도 유묘일 때보다는 가시가 좀더 늠름해졌다.

부겐빌레아

의미 있는 날을 기념하기 위해 산 부겐빌레아는 늘 한결같은 모습을 보여준다. 봄이 오면 마른 가지에 녹색 잎을 내고 점점 수북이 키워 여름을 나다가 꽃을 피운다. 사실 화려한 꽃처럼 보이는 부분은 포엽이고 그 속에 작은 성냥개비처럼 난 것이 꽃이다. 줄기에 가시가 있기 때문에 동물이나 아이들 눈높이에 두는 것은 조심해야 한다. 백과사전을 찾아보면 4월부터 11월까지 꽃이 핀다고 하는데 우리집 부겐빌레아는 가을이 되었을 때야 꽃을 준비한다. 봄을 꽃 없이 보내는 것도, 이제 겨울을 준

비해야 할 시기에 꽃을 피우는 것도 우리집에서 터득한 자기 질서이겠지 생각하면 이상할 건 없다. 부겐빌레아의 매력은 아무래도 발코니보다는 정원에서 더 확실하게 볼 수 있는 것 같다. 정원 문이나 담장을 뒤덮으며 자라난 부겐빌레아의 노랗고 붉고 하얀 꽃(정확히는 포엽)들은 '만발하는 아름다움'이 무엇인지 한눈에 보여주기 때문이다.

드라세나 수르쿨로사

'고드세피아'라는 유통명으로 더 잘 알려져 있는 이 식물은 내 첫 장편소설 『경애의 마음』을 읽은 분에게 선물 받은 것이다. 어느 날 집에 와보니 제법 큰 식물이 도착해 있었고 그뒤로 '경애 나무'라고 부르며 함께하고 있다. 마치 대나무 같은 가지에 긴 잎들이 달려 있고 위로 죽죽 자라서 우리집에서 가장 큰 식물이 되었다. 정보를 찾아보면 많이 커야 일반적으로 구십 센티미터라고 하는데, 우리집 드라세나 수르쿨로사는 천장까지 솟아올랐다. 이따금 영양제를 꽂아준 것 말고는 특별히 관리하지 않았는데 그렇게 큰 걸 보면 같은 화분처럼 보여도 유달리 건강한 개체들이 있는 것 같다. 그리고 대개는 건강한 식물을 들여 키우는 것이 나중의 수고들을 덜어준다. 식물 보는 눈이 있다면 가장 좋겠지만 그러기 힘들 때는 믿을 만한 판매상과 거래하는 방법도 있다. 이 식물이 보여주는 가장 극적인 장면은 봄에 피는 꽃에 있다. 마치

금속으로 세공한 둥근 크리스마스 오너먼트처럼 생긴 화려한 꽃이 피는데, 올해는 어느 때보다 많은 꽃이 피어서 나를 기쁘게 했다.

칼라테아 스트로만테 멀티컬러

우리집 식물 가운데 가장 다채로운 색을 지닌 멋지고 모던한 식물이다. 칼라테아는 마란타과에 속하는 종으로 열대 아메리카가 원산지이고 백여 종이 있다고 한다. 당장 우리 주변만 보아도 많은 종류의 칼라테아들이 실내 식물로 길러지고 있다. 그중 스트로만테 멀티컬러는 전체적으로 자주색 잎에 녹색, 크림색, 분홍색이 뒤섞여 있다. 어떤 잎은 크림색이 잎 둘레를 채우고 있고 어떤 잎은 녹색이 대부분을 차지하는 가운데 색칠하듯 분홍색이 줄 그어져 있다. 잎마다 무늬가 불규칙하기 때문에 사실상 한 화분이라도 같은 잎은 한 장도 없는 셈이다. 잎 하나하나를 저마다 다른 개성으로 완성하는 아티스트, 그것이 바로 이 식물이고 그래서 내 부러움을 산다. 습도를 챙겨주지 않으면 잎끝이 타는데, 그렇다고 내내 비닐봉지를 덮어두는 것도 정작 식물을 즐기는 데는 방해가 되는 일이라서 나는 그저 이따금 분무 정도를 해주며 기르고 있다. 새잎을 낼 때 말린 종이 같은 형태의 새순을 내는 것도 신기하고 밤이 되면 잎들을 세워 서로 포갠다는 것도 재미있는 점이다. 배울 것 많은 예술가 친구. 내게는 그런 의미로 이 식물과의 시간들이 즐겁다.

나오는 말

우리가 선택한 낙관

동물인 인간과 식물의 가장 큰 차이는 이동 여부일 것이다. 우리는 스스로 움직이고 식물은 자리잡은 곳에서 움직이지 않는다. 줄기를 뻗거나 꽃씨를 바람에 날리기도 하지만 몸체를 땅속에 고정하고 있다는 점에서 인간과 같은 이동이라 할 수는 없다. 그렇게 움직일 수 있다는 사실에 대해 생각하다보면 공원을 걷고 있는 나의 일상적인 산책이 무심하게 넘겨지지 않기도 한다. 인간의 역사로 본다면 어떤 이들은 그 한 발 한 발을 걸어 아예 다른 곳으로 이동해나갔을 것이다. 강을 넘고 대륙을 건너 삶의 범위를 넓혀나갔을 것이다. 이 책의 원고들을 주로 썼던 팬데믹의 날들에 식물들이 자라고 있는 발코니에서 자주 떠올린 것도 그 점이었다. 인간의 팽창과 이동이 낳은 결코 낙관할 수 없는 미래였다.

지금 동백나무는 점점 길어지는 햇빛 아래 새잎을 내는 중이다. 올해 두 송이의 꽃을 피웠는데 나무 크기를 생각하면 잘 자란 편은 아니었다. 찬 바람이 들이치고 때론 눈송이도 내리는 노지에서 자랐다면 결과는 달랐을 것이다. 하지만 실내 식물의 숙명이 그렇듯 좁고 답답한 공간에서 시간을 보낸 나무가 겨울에 피운 그 꽃은 그런 환경에 적응해 삶의 한 사이클을 살아냈다는 신호였다. 나는 동백나무에게 할 수 있는 모든 찬사를 보내주었다. 며칠간 늠름하게 꽃을 자랑하던 동백나무는 그것을 송이째 뚝 떨어뜨리고 다음 계절을 준비했다.

올해 역시 발코니에서 보낼 것이기에 동백나무는 자기 몸 전체를 이 환경에 내맡길 것이다. 사람으로 친다면 마음과 몸 모두를 스며들게 하고, 뿌리 밑의 어딘가를 간지럽히는 알갱이 하나의 움직임에도 달라지는 자신을 조용히 느낄 것이다. 식물에게는 지금 이곳 이외에 다른 대안이 없다는 엄정한 상태가 있다. 그리고 바로 이 점이 역설적으로 식물들의 낙관적

미래를 만들어낸다. 환경에 적응하는 것, 성장할 수 있다면 환희에 차 뿌리를 박차고 오르는 것, 자기 결실에 관한 희비나 낙담이 없는 것, 삶 이외의 선택지가 없는 것, 그렇게 자기가 놓인 세계와 조응해나가는 것. 이런 질서가 있는 내일이라면 낙관하지 않을 수 없을 것이다.

나오는 말을 쓰기 전에 방 정리를 했다. 산문 원고를 고치고 새로 시작한 소설을 쓰느라 봄 동안 방치되었던 방은 두 발로 겨우 서 있을 정도로 어지러워져 있었다. 자료와 A4용지들, 책상 위의 컵들, 먹다 남은 빵과 아직 1월에 멈춰 있는 탁상 달력과 앞머리가 내려와 있으면 집중이 어려워 몇 개나 가져다 놓은 헤어롤, 연필들. 이런 곳에서 글을 쓰고 일 처리를 하고 고민하고 책을 읽고 기도도 하며 보냈다는 것이 신기할 정도다. 무엇보다 복작복작하게 방을 채우고 있는 식물들도 여기서 함께 지냈다는 사실이.

『식물적 낙관』은 가드닝에 관한 안내서는 아니다. 일상의 다양한 주제를 담은 여느 형식의 산문집도 아니다. 하지만 어떤 산문 작업을 할 때보다 자유롭게 썼다는 생각이 든다. 식물에 대해 말하려 하자 마음은 더 쉽게 열렸고 소설 속 인물 뒤에 숨어 있던, 사실은 내 것이었던 기억들이 잎맥처럼 그려졌다. 이 년 동안 에세이를 연재하면서 나는 감추어두었던 산문 속 자아가 자기방어를 뚫고 서서히 나오는 것을 느꼈다. 식물 집사로서, 글을 쓰는 사람으로서 참 괜찮은 가드닝 시간이었다고, 다행이라고 생각한다.

책이 나오기까지 많은 분들이 도움을 주셨다. 연재 지면을 제공해준 한겨레 ESC, 따뜻하고 환한 그림을 그려주신 라킷키님, 같은 식물 덕후로 시작해 마침내 이 책의 편집까지 마친, 오랜 시간 든든한 동반자가 되어주고 있는 문학동네 정은진 팀장님, 추천사로 책을 밝혀주신 시인 겸 식물 집사인 황인찬씨 그리고 글 속에 등장해준 가족들과 친구들에게 깊은 고마움을 전한다. 좋아하는 식물 옆에서 이 책을 읽거나, 독서가 끝난 뒤 동네 화원에 가 식물 하나를 들일지도 모를 독자분들께도. 읽어주시는 분들에 대한 고마움은 해가 더해갈수록 더 넓고 큰 둥치를 만든다.

결국 작가에게 모든 책은 매번 이행의 산물인 것 같다. 책 한 권을 마무리하는 동안 어느덧 그 힘으로 다음 책의 발아를 준비하게 되기 때문이다. 내 방 식물들에 관한 편파적인 다정의 기록이기도 하고, 내가 읽고 쓰는 문학에 대한 단상들이기도 하며, 식물 '하는' 마음에 대한 하루하루의 일기이기도 한 이 책이 독자분들께 어떤 맥락에서든 '낙관적'으로 읽혔으면 좋겠다. 책이 출간된 뒤에도 변함없이 화분들에 물을 주고 가지를 자르고 응애와 씨름하고 있을 나 역시 그 순간순간의 행위 속에서 매번 갱신하는 낙관을 배워나갈 것이다.

모두의 녹록綠綠한 건투를 빈다.

아직 오지 않은 여름밤, 고무나무 곁에서

김금희

문학동네 산문집
식물적 낙관

1판 1쇄 2023년 6월 1일
1판 4쇄 2024년 6월 26일

지은이 김금희
책임편집 정은진 | 편집 김수아
디자인 김이정 최미영 | 저작권 박지영 형소진 최은진 서연주 오서영
마케팅 정민호 서지화 한민아 이민경 안남영 왕지경 정경주 김수인 김혜원 김하연 김예진
브랜딩 함유지 함근아 고보미 박민재 김희숙 박다솔 조다현 정승민 배진성
제작 강신은 김동욱 이순호 | 제작처 영신사

펴낸곳 (주)문학동네 | 펴낸이 김소영
출판등록 1993년 10월 22일 제2003-000045호
주소 10881 경기도 파주시 회동길 210
전자우편 editor@munhak.com | 대표전화 031) 955-8888 | 팩스 031) 955-8855
문의전화 031) 955-2696(마케팅) 031) 955-1922(편집)
문학동네카페 http://cafe.naver.com/mhdn
인스타그램 @munhakdongne | 트위터 @munhakdongne
북클럽문학동네 http://bookclubmunhak.com

ISBN 978-89-546-9938-9 03810

www.munhak.com